JN074080

希望ある日本の再生

小名木善行

青林堂

はじめに

いきなりカルトのような話になって恐縮ですが、YouTubeのライブ放送中に、ちょっとした事件が起きました。二〇二三年十一月のことです。坂東忠信先生をお招きして、YouTubeの動画のライブ配信を行いました。このときのテーマが「中国における臓器売買の実態について」です。このときに坂東先生から、生きたまま臓器を切り取られて死亡した美しい女子大生のお話を伺いました。女子大生は生きたまま臓器を切り取られている途中に死亡。その遺体は切り刻まれた挙げ句、体の肉を削ぎ落とされ、その肉を茹でられて、バラバラな肉片が二十個ばかりのビニール袋に入れられて、そこらへんに捨てられていました。たまたまゴミ捨て場で、その捨てられたビニール袋を発見した老婆が、袋ごと肉を家に持ち帰って食べようとしたところ、中から指が出てきてびっくりして警察に連絡。警察の捜査であちこちに分散して捨てられていた肉片が集められ、警察署内でその肉片を復元。このときの復元したご遺体の写真を坂東先生から見せられました。

どう例えて良いのかわかりません。それはまるで、あまりお魚の好きではない方が食い散らかしたサンマのような状態でした。生前の、まるで日本人のような美しい写真もありました。あまりにも酷い。あまりに可哀想で、番組の中で坂東先生と2人で手を合わせていただきました。

ところがこのときです。ライブ放送の映像は普通に流れていたのですが、突然、音声だけ、ブチブチと途切れはじめました。そのうち音声は、ウワンウワンとまるで波打つように唸（うな）り始め、さらに「画像は鮮明に見えているけれど、声はまったく聞き取れない」という状況になりました。

さらにそれだけでなく、誰もいないスタジオの外側で、何やら人が歩くような音が聞こえ、さらには入口のドアが突然バタンと開いてから閉じられるような音が聞こえました。その音は、スタジオにいた全員が聞いていて、心配してスタッフのひとりが入口まで見に行ったのですが、誰もいない。とにかく音が聞き取れないのではライブ放送になりませんから、一旦その番組を終わりにして、改めてYouTubeの番組アカウントを取り直してライブ放送を再開しました。けれど五分くらいすると、また同じ現象が起こって、結局ライブは中断になりました。

事件後、中断してしまったライブをどうにかこうにか復元しながら、今度は動画として改めてアップし直そうとしたのですが、その際に番組の冒頭で、放送内容についての軽い説明動画をはさもうと収録したところ、これまた映像は撮れているけれど、音声がまったく入っていないということがわかりました。その収録の前まで、別な番組の収録を行っていて、そちらの方は、見事にちゃんと映像も音も撮れていたのです。にもかかわらず、この女子大生に関する動画だけ、音声がまったく録れていない。機材のセットも、その前の収録のままであったにもかかわらず、です。

どうしてこんなことが起こったのか。色々考えていたとき、たまたま坂東先生と電話で話をすることになったのですが、坂東先生は夜の十一時頃、車を運転して帰宅する途中で、何やら突然、木花咲耶姫(このはなさくやひめ)の名を口にしている自分がいたのだそうです。ひとりで運転中のことです。坂東先生は、もしかしたら近くにある木花咲耶姫神社に呼ばれているのかもしれないなと思い、そのまま誰もいない夜中の神社に参拝に行かれたのだそうです。帰りの参道で、何やら両側でバキバキと色々な物音がしていた。今日は何だか騒がしいなと思いながら帰宅されたといいます。

その後、坂東先生と色々話し合ってみたのですが、原因は大きく二つ考えられる。ひとつはどこかの国の工作員がこんな情報をネットで拡散されては敵(かな)わないということで、防衛電波を発してライブの邪魔をしたというものでした。けれど、その可能性は低いだろうと思われました。というのは映像は極めて鮮明に撮れていたからです。音声だけを電波妨害で崩そうというのは、実際にはかなり難しいことです。

もうひとつの理由は、霊障(れいしょう)なのかもしれないというものでした。坂東先生は、その後に神様に呼ばれていいます。つまり、坂東先生か筆者に憑(つ)いている神々が話の内容に激怒されたということなのかもしれません。

人が人の命を奪うというだけでなく、人の遺体をまるで物や道具のように扱う。そのようなことがあっては絶対にならないし、断じてそのようなことをする人々を日本に入れるべきではないと、もしかすると神々がお怒りになったのかもしれません。その神々のお怒りが、いわばポルターガイストのような現象を引き起こされたかもしれない。もっというなら、今の段階でそのような事実があるということ自体、日本の国民に知らせるべきではない。そのようなものを断じて排除するのは、むしろ国の政治を司る人たちの仕事であって、一般の人々の中に、たとえ外国であれ、そのような文化が現に世の中に存在するんだということなど、教える必要もない。真似する馬鹿者が出たらどうするんだ、ということであったのかもしれません。

『希望ある日本の再生』というタイトルの本で、それも前書きの冒頭でいきなりこのようなお話をさせていただいたのは、希望ある日本を再生するということは、単によその国の批判をしたり、単に政治の批判をしたり、あるいは政治の悪口を言ったり、あるいはこんなに酷い状態にあるんですよ、こんなこともある、あんなこともあるんですよと言い続けることでもないのだということを、皆様にお伝えしたかったからです。悪口で日本が良い方向に変わることは、決して「ない」のです。それが証拠に、テレビの政治討論番組は、半世紀も前からの人気番組で、日々政治の批判を繰り返しています。けれどそれによって日本が少しでも良くなったのかと言えば、答えは「NO」です。

希望は、これから起こる未来のことです。過去への希望なんてありません。良い未来がやってきてもらうところに、現代（いま）の希望があります。未来は、現在の向こう側にしかないのです。ということは、よその国の酷い所をあげつらう、あるいは国内の様々な政治問題について特定の政治家をあげつらう。文句を言う。これはなってないと言って、声を張り上げる。あるいは政党ごと否定する、批判する。そのようなことを向こう百年続けたとしても、あるいは千年続けたとしても、それによって希望ある良い未来が来るということは、ないということです。

未来への希望というのは、今この瞬間に前向きに何とか少しでも今のこの状況を改善し、良い方向に持っていこうとして皆が努力し、その皆の思いが皆の合意となって、そして皆の意見として、皆の考えとして、皆の思いとしての集合意識の向こう側にあるものです。みんなで現在を真剣に戦った先にこそ、いまより少しでも良い未来があるのです。

冒頭に述べたような酷いことは、現在進行形で行われていることです。それを知ることは大事なことかもしれません。けれど、知るだけでは日本は変わらない。むしろ、だからこそ日本を住みよい国にしたいとポジティブに考え行動するところに、はじめて良い未来がやってくるのです。音声が途切れたのは、おそらくは神々が、そのことを我々に教えてくださったものだと思います。

この本の編集にあたり、青林堂の蟹江社長以下、皆様にたいへんにお世話になりました。この場を借りて心から御礼を申し上げます。

陽光うららかな日　小名木善行

目次

第3章　本来の日本の姿　93

第4章　希望ある日本を取り戻す　131

第5章　いまの向こうにある未来　191

第1章

権力を持たない戦後日本

1　国家権力とは軍事力・警察力・財務力

いきなり大上段に振りかぶったような話ですが、国家権力とは何かという点からお話を進めていきたいと思います。希望ある日本を再生していくにあたって、国家というものがどうしても欠かすことのできないものであると思うからです。

我々戦後生まれの日本人は学校で、「日本は日本国憲法に基づいて立法・行政・司法の三権がそれぞれ分立することによって権力の暴走を防ぐというシステムになっている」と教えられています。そして権力は「法律を作る立法権」、「行政を行う行政権」、「それらが適法に行われているかを裁く司法権」の三つに分離され、これを三権分立と言うと教わります。本当にそうでしょうか。世の中には、いわゆる権力者と呼ばれる人がいます。ではどうしてその権力者は、権力を振るうことができるのでしょうか。それは立法権や行政権を持っているからでしょうか。違います。その権力を持った人たちが三つの力を持っているからです。三つの力とは「軍事力・警察力・財務力」です。

軍事力は国の統一と対外的衝突に備えるにあたって必要不可欠なものです。すくなくともそういう時代が、人類社会で長く続いたことには異論がないと思います。軍事力は、現代日本人はあくまでも対外的に用いられるものであるとボンヤリと思っている方が多いですが、多くの国では、軍事力はむしろ国内に向けられています。お隣のチャイナでは、民主化を求めて天安門広場に集った学生たちを人民解放軍が戦車で轢き殺しました。国内最強の武力を持っていることは、現実の力であり、政治権力のひとつの柱です。

二つ目の警察力というのは、気に入らない者、敵対する者、反対する者を逮捕拘留し、あるいは処刑することができる力です。現代日本では、処刑は裁判を経由しなければできないことになっていますが、世界ではいまなお犯人射殺は普通に行われていることであって、そこで用いられるのが警察力です。誰だって逮捕や射殺などされたくありませんが、それを独占的に実行できる力は、政治権力そのものです。

三つ目の財務力というのはマネーの力です。その国の最大のお金を持っているのは誰かと言えば、それは通貨を発行している国そのものです。ですから、そのお金をどのように配分していくかということが、まさに権力となります。またお金があるところには、自然と人が集まってきます。するとそこにヒエラルキー（階層）が出来ます。まさに権力機構が出来あがるわけです。

戦後の日本は国家権力を持っていない。

では戦後の日本はどうでしょうか。申し上げた三つの力を日本政府は持っているでしょうか。まず軍事力からいきますと、日本に自衛隊があります。自衛隊は元の名前が警察予備隊です。あくまでも警察力を支えるための軍事部門です。警察は司法警察といって、その国の法律に従って行動する機構です。ですから自衛隊もまた、日本の法律の範囲内でしか行動することができません。あくまで国内向け警察力の延長です。けれど世界における国軍は違います。世界の軍隊は、やってはならないことがいくつか国内法で決まっているだけで、それ以外は全部やって良いことになっています。あたりまえです。軍は国外で活動したり、災害等で国内行政機構等が壊滅していても、独自に活動できる仕組みになっているのです。軍の中には立法府も行政府も司法府もあります。つまり軍はその国にあって、その国の法律に縛られない、ある種の独立機構なのです。ところが日本の自衛隊は国内法に縛られています。

このことが意味することは重要です。軍は外国に出て行って交戦することがあります。そこは外国ですから、当然自国の法律は適用されません。ですから軍は、政治や法の規制がなくても動けるように、軍の中に行政、司法、立法の三権を持っているのです。ところが日本の自衛隊は、やって良いことが法で決められています。つまり自衛隊は国内法の範囲内でしか動けないし、その意味では自衛隊も通常の警察権に影響を受けます。自衛隊員が敵兵を撃てば、警察に捕まります。現状においては、自衛隊はどこまでも警察予備隊でしかないのです。

ところが自衛隊の実力は、たとえば海上自衛隊の持つ軍事力は環太平洋エリア最強です。アメリカの太平洋艦隊でさえ及びません。日本は環太平洋地域で世界最強の海軍を持っているのです。けれどその行使は、平時を前提に書かれた法律の範囲内でしかできません。つまり日本は強力な軍事力を持ちながら、その運用は、国内の司法警察の範囲でしか行えないという、まったくもって矛盾した状況に置かれています。

警察力はどうでしょうか。警察の職務は、起きた犯罪への対処だけでなく、犯罪そのものが起きないように予防するところにあります。世界に誇る交番制度もそのためで、そこに交番があるというだけで、地域の犯罪が激減することは、交番制度を新たに導入した世界諸国で実証されています。

江戸時代、番所制度のおかげで犯罪者はゼロだった。

交番は、江戸時代に長屋ごとに設けられた自身番に発すると言われています。長屋ごと、です。ですから今で言うと、大型マンションなら、各階ごとに番所が設けられていたようなものです。そこでもし犯罪者が出れば、長屋はお取り潰しになり、地主も家主も遠島、犯罪者の家の向こう三軒両隣も罰金刑となりました。厳しかったのです。けれどその厳しさがあるがゆえに、犯罪を働く人が少なく、八代将軍吉宗の治世の二十年間では、江戸の小伝馬町の牢屋に収監(しゅうかん)される犯罪者の数がゼロでした。世界ではありえないようなことが起きたのです。ゼロというのは、奉行所がサボっていたからではありません。当時の奉行所が、犯罪の抑止に最大限の力を尽くした結果、犯罪の発生そのものを抑えることができたのです。

そんな奉行所は、これまたたいへんなところでした。随分(ずいぶん)前に川崎で中一児童殺害事件という悲しい事件が起こりました。もしこの事件が江戸の昔に起こったならば、川崎の町奉行は間違いなく切腹です。どうして奉行が切腹なのかというと、そのような悲惨な事件や事故が起こることがないようにありとあらゆる権限を授かっているのが川崎の町奉行だからです。権限がありながら、事件が起こることを抑止できなかった。それは誰の責任でしょうか。答えは明らかですから、奉行は現実に事件が起きてしまった責任をとって、自ら腹を切ってお詫びします。そして奉行が自ら腹を召せば、奉行の息子が後を継ぐことができます。従ってお家は安泰です。けれど奉行がなかなか腹を切ろうとしないでいると、業を煮やした江戸表から使いの使者がやって来て「上意でござる、腹を召されい」とやる。こうなると「お上の手を煩わせた」わけですから、切腹した上にさらにお家がお取り潰しになります。奥さんも子供さんたちも家人たちも全員、明日から路頭に迷うのです。江戸の昔までの日本では、権限と責任は常にセットと考えられてきたのです。厳しかったのです。

戦前の特高警察は犯罪予防の面で優れていた。

犯罪というのは、これもちょっと考えたらわかることですが、事件も事故も犯罪も、起きてしまってからでは遅い。起きてしまってからではどれだけ多くの不幸の連鎖があるのか。被害者の側の不幸、被害者の家族の不幸。そしてまた加害者の側も、加害者本人にとっても不幸、加害者の家族にとっても、友人たちにとっても、そのような事件や犯罪が起こったということは、大変な悲しみをもたらす不幸な出来事です。たった一件の犯罪が物凄く（ものすご）たくさんの不幸を呼び寄せてしまう。それがわかっているのだったらば、そのような犯罪が起こらないように予防するのが本来の警察力の発露（はつろ）です。起きてしまった犯罪を取り締まることも当然必要な事です。けれどもそれ以上に予防に力を入れる。

もともと、戦前戦中までは江戸時代の奉行所の考え方が残っていましたので、当時の警察は予防・防犯に凄く力を入れていました。力を入れていたから犯罪がなかったかといったら決してそんなことはなかったにしても、兎にも角にも、防犯に大きな力を入れていました。国を滅ぼすような怪しげな思想を持った集団や個人は、公安警察が逮捕することもできました。都道府県を横断して、日本全国を縦断しながら犯罪を行うようなとんでもない連中については、特別な特高警察というものが置かれて、広域犯罪捜査、また広域犯罪が起こらないように予防をしていくということに大きな力が注がれていました。これによって、逮捕、投獄された人たちも沢山いたわけです。

日本が戦争に敗れた後、ＧＨＱが入って来て、真っ先に何をしたかというと、特高警察の解散。そしてまた日本の警察官からすべての武器を取り上げて、そして警察官が犯罪の捜査をすること、特に予防的な行動をとることに関して、それは一切できないようにＧＨＱが日本の仕組みを変えてしまいました。結果、現在に至るまで警察は、犯罪が起きてからでなければ動くことができない。殴られそうなので助けてくださいと警察に訴えても、警察官が言えるのは「殴られたら来なさい」です。これで本当に市民の安全が守れるのかと考えれば、そこには疑問符が付かざるを得ません。

現在、予防によって唯一実績を上げているのが、実は交通警察部門だと言われています。日本国内で自動車交通が盛んになったのは、昭和四十年代からです。つまり自家用車時代は、ＧＨＱが去った後に始まったことで、おかげで交通警察は、本来の警察の有り様そのままに、予防に物凄く大きな力が置かれています。いわゆる交通警察に関しては、正にネズミ捕りをやったり、あるいは信号機を設置したり、横断歩道を設置したり、そしてまたどんな軽微な事故であったとしても、警察官が必ず事件現場に飛んで行くといったようなことが行われ、その結果、40キロ制限の道路を60キロで走ってると、すぐに切符を切られるというような状況が起こるようになっているわけです。

最近になって、交通警察においても、いわゆるあおり運転に対する対策ということが出てきました。このあおり運転については、あおっている現場を押さえないことにはどうにもならないということで、警察も大変に苦労されているようですが、もともとの警察の在り方というものの本質を考えるならば、あおり運転をしそうなドライバーから免許証をどんどん取り上げていくということができるくらい、強い力を持っているのが実は警察力だということになります。それが国家権力というものの力です。

戦後ＧＨＱにより、赤字国債の発行をできなくされ国力を削がれた。

三つ目の財務力、これは申し上げるまでもないと思います。国は国民全員から税金を集め、集めた税金を使って様々なことを行います。これが短期的に巨額の費用が必要な場合、例えば、戦争を行うということになりますと、戦前であるならば例えば巨大な戦艦を造らなければならない。戦艦大和を造る。戦艦武蔵を造る。あるいは空母を造る。あるいは艦載機を造る。あるいは陸軍において輸送機を造る。爆撃機を造る。戦闘機を造る。いずれもすべて費用が掛かる話になります。しかも最先端の技術を用いることになりますから、そこにおけるコストというのは大変な高額になっていきます。

戦前戦中までは、そのコストを賄うために戦時国債が発行されました。戦時国債を発行し、国民にその国債を買ってもらうことによって、そこで得た資金で政府は戦艦大和の建造をしていたわけです。

日本の軍事力を何としても削ぎ落としたいというGHQは、敗戦後の日本に入って来ると、まずは赤字国債の発行、戦時国債の発行を、日本政府が二度とできないように「財政法・第四条」を制定しました。これは日本政府が赤字国債を発行してはならないという制度です。発行する場合には、①目的を明確にし、②金額に制限を加えたものを、③国会で承認してもらわなければならないことになっています。つまりＧＨＱは、日本が二度と戦争できないように、財政面でも制限を加えていったわけです。それでも国債の発行残高が増えていく。増えた国債発行残高を減らそうとすれば、結果、増税するしかないので、財務省は増税に舵を切らざるを得ない。そうしなければ、国の財政のバランスが取れなくなるということを、お聞きになった方も多いかと思います。この件につきましては、第２章で詳しく書きますが、要するに戦後の日本は、財政を国民のためであっても自由に展開することができなくなっているのです。

つまり日本は、軍事力・警察力・財務力、このいずれをも中途半端にしか行使できない国になっています。つまり、戦後の日本政府は、実質的な政治権力を著しく制限された政府となっているわけです。

2　三権分立とは何か

前節で政治権力の基になるものについてお話をしました。では、その政治権力を行使するに当って我が国の仕組みがどうなっているのかと言うと、これまた日本国憲法では、三権分立という形になっています。

三権分立は、これは権力を分散するため、国家権力を分散して、権力の暴走を防ぐためであるというふうに学校で教わりますが、そもそも、前節でお話したのは、現実問題として日本政府に権力があるのだろうかということでした。

その行政府は、一般の国民に対して、あくまでも公正かつ平等に行政のサービスを提供するところです。どうやって平等にするかと言えば、法律に基づいて、です。ですから役所の窓口にやって来た人の顔や性格が気に入らないとか、あるいは国籍が違うとか、あるいは日本語がたどたどしいとか、そういうことによって差別をしてはいけないということになっています。あくまで法律の定めに従い、公正かつ平等なサービスを行うというのが、行政の仕事です。

行政サービスが、どうにも行き詰まってしまったときには、立法府が新たに法律を作って対処することになります。財政法の第四条が邪魔をしているなら、その財政法の改正を行うのは立法府の役割です。ところが法律の条文は、ひとついじるだけで、関連する多数の法律のみならず、その法律が施行されて以来のすべての政令、省令、通達を見直さなければなりません。これはときに数百の条文の見直しになります。それらすべてが矛盾がないよう変えていかなければなりません。果たして今の衆参両院で、そこまでの詳細な法律の調査や起案、調整ができるだけの能力を持った議員さんがいるのでしょうか。実は事実上、できない先生方の方が多いのです。少なくとも本当に数えるほどしかいない。加えて、そもそも国会議員になるための資格として、そのような能力が求められているわけでもありません。つまり立法府と名前が付いていながら、実は立法府は立法府としての役割を十分に果たせるようになっていないという、これが現実です。

一方で、行政府は法律で決められたことしか、してはいけないということになっています。法律を変える権限は行政府にはありません。結果、行政府から法律を変えていくということはなかなか困難な状況にあります。法律上の違反があれば、これを裁くのが裁判所ですが、裁判所自体には逮捕権がありません。逮捕は司法警察、つまり行政サービスの範囲内でしか行われません。

戦後の日本では三権分立は事実上、存在しなかった。

ちなみに東京地検特捜部は、法務省内の検察庁の所属ですが、もともとの出発点はGHQのミリタリーポリスの下請け機関だったところです。その歴史は今も続いていて、米国の支配下にあるとも言われています。つまり東京地検特捜部は、米国の国益のために働くことがある、という点には注意が必要です。

要するに、戦後の日本では、憲法で定められた三権分立を、とても優れた仕組みと学校で教えながら、その実は、政治権力と言いながら、実質的な政治権力は存在せず、ただ三権が分立して足の引っ張り合いをしているだけという情況にあるといえるわけです。それにそもそも三権分立は、日本で生まれた仕組みではありません。もともと西洋で生まれた仕組みです。

西洋では各国にもともと王様がいました。王様が例えば国内に鉄道を引きます。お祝いの式典があって颯爽（さっそう）と汽車が走るようになったのは良かったけれども、この鉄道のおかげで開かずの踏切ができて、一日の中で踏切が開く時間がせいぜい三十〜四十分しかない。これによって街が完全に二つに分断されてしまって、双方の交流さえもできなくなってしまったとします。このような事態が起きたとき、「王様、恐れながら鉄道敷設は大変に有り難いことでありますが、この踏切の問題を何とか解決してもらえないでしょうか」と、王様に庶民の窮状を訴えて今ある仕組みを改善していく。このために作られたのが実はもともとの議会です。

議会はあくまでも庶民の代表ですから、議会が王国の民を代表して王様の行政に色々と意見を述べます。それを国民が口々に言うのでは収拾がつかないから、国民の代表としての議員を選び、その議員が王様に対して色々と苦情を言う。というのがもともとの議会の存在理由だったわけです。つまり法律を作ることが議会の役割ではなかったのです。そうではなくて、法律を作って何かを実行していこうとする王様に対して、王様が持っている行政機構に色々と意見を言って、ちょっとでも国民の生活の改善につながるようにしていくのが議会であったのです。

現代日本において、地方行政ではこれに近い形が今も行われています。地方行政では二元代表制といって、市長さんが予算の執行をしようとする時には、必ず議会の承認を得なければなりません。なぜ議会の承認が必要かというと、議員が市民たちの代表者だからです。たとえば市長が、市役所の職員を使って市の年間予算を組み立てます。市の予算は、市民の税金ですから、市民全員からその執行について許可をもらわなければならない。けれど現実には市民全員から許可をもらうことは、およそ不可能なことですから、市民の代表である議員に許可をもらうわけです。地方議会は、地方の立法府という位置付けにはなっていません。市が様々の条例を作り、それを承認したり否認したりすることが、議会の仕事になります。あるいは「このような条例が必要と思いますが、いかがでしょうか」と議員から市長に声を掛けて、市役所がそれに必要な条例案を作り、この条例案を議会が承認することで条例としてこれが適用されていったりします。つまり本来なら行政機構が全権を持っていて、いわば王様のやることに待ったをかけるのが、議会の役割となっているわけです。ところが、戦後の日本国憲法においては、三権分立です。そして議会が立法府ということになっています。果たしてその能力が議会にあるのか。冷静に頭を冷やして考えれば、すぐに答えが見つかるのではないかと思います。

ではどうして三権分立、それももともとの形からはかなり外れた日本型の戦後の仕組みが生まれてしまったのでしょうか。これも実はＧＨＱが関係しています。ＧＨＱは、日本の国会・行政・司法の三つの上に立ちました。つまりＧＨＱがいわば日本における王様の役割を果たすようになり、この王様の許で実際に行政を執行するのが行政府で、それを国民の代表として承認するのが国会、それが法律通りに行われているかを監視するのが裁判所の役割とされたのです。つまり三権の上にＧＨＱという、軍事機能、ＭＰという警察機構、財務の執行機能があったわけです。それが昭和二十七年に日本が主権を回復した後にＧＨＱが去ってしまうと、その後の日本では、事実上の政治権力不在の情況になったわけです。

その結果、政府にも国会にも事実上の政治権力が存在しませんから、何もしない政府、文句を言っているだけの国会、ほとんど機能しない裁判所という酷い状態が戦後の日本に生まれたのです。戦後日本がそれでも発展できたのは、米国の援助と、働き者の国民の成果です。

国の三権分立、これが素晴らしいものであるというふうに学校で教わったからと言って、そこで思考停止になるのではなく、そういう今ある仕組みというものが、本当に我々日本人にとって必要なものなのか、本当に国を良くするに当たって必要なものなのか。今、私たちはその原点に返って改めて見直しをしていかなければならない時期に来ていると思います。

3　君主制と象徴君主制

前節で三権分立が実は機能していないのではないか、というお話をさせていただきました。この三権分立は、現行の日本国憲法に採用されています。その結果、いまの日本は主体性を失ってしまっています。日本国憲法は、他にも様々な問題が指摘されていますが、なかでも第一条について、ちゃんとした教育が行われていないことは、とても大きな問題です。

第一条　天皇は日本国の象徴であり日本国民統合の象徴であって、この地位は、主権の

存する日本国民の総意に基く

ここに「主権の存する日本国民」とあります。これがいわゆる「主権在民」で、学校では「日本国憲法は国民が主権を持つと定めた素晴らしい憲法」と教えます。しかしその文の前段にある「天皇は日本国の象徴であり日本国民統合の象徴」という文については、残念ながらその意味を教わることがありません。しかしこの一文は、君主制と象徴君主制の違いを明確にしたとても重要な文です。そこでこの二つの制度の違いについて考えてみたいと思います。

「君主制」というのは、君主を国家における「国家最高権力者」とする制度です。いわゆる昔の王国がこれにあたります。王が統治者なのですから、当然、王が政治権力者です。ですから国王は、国内のありとあらゆる事柄についての決定権を持つし、王国のあらゆるものは国王個人の所有物と規定されます。国王の権力に楯突けばすぐに逮捕されるし、場合によっては処刑されることになります。

昔の王国は、たいてい世襲制でしたが、これを選挙制に変えたのが大統領制です。現代、世界の多くの国々は大統領制を採用していますが、世襲であるのか選挙で選ばれたのか、任期があるのかないのかといった違いはあっても、王も大統領も国家最高の権力者であることに違いはありません。権力者ですから、よその国に原子爆弾を二発も落とし、何十万もの人々の命を奪っても、その国においては何の責任も問われません。

では、そうした「君主制」が、国民にとって最高の統治形態といえるのか。このことを我が国は九世紀の唐の国から学びました。比叡山延暦寺の第三代天台座主となった慈覚（じかく）大師は若い頃は「円仁（えんにん）」という名前で、遣唐使の一員として唐の国に渡っています。そこで過ごしたおよそ十年の歳月の日記が『入唐求法巡礼行記（にっとうぐほうじゅんれいこうき）』です。『入唐求法巡礼行記』は、実は世界で「東アジアの三大旅行記」と呼ばれている書籍のひとつです。他の二つは、黄金の国ジパングの記述で有名なマルコ・ポーロの『東方見聞録』、西遊記で有名な玄奘（げんじょう）の『大唐西域記』です。

その『入唐求法巡礼行記』には、承和五年（八三八年）に博多を出発した円仁が、唐の都の長安で生活し、承和十四年（八四七年）に帰国するまでのことが書かれています。そこに次の記述があります。例としてその一部を現代語訳してご紹介します。

『入唐求法巡礼行記』

皇帝の討伐軍は、叛乱軍が立てこもる州の境界線で、叛乱軍の激しい抵抗にあって攻め込みきれないで境界線上にとどまっていた。すでに多くの日数が費やされていた。皇帝からは進軍を促す催促が、毎日、矢のように来ていた。けれども叛乱軍の抵抗が強くて前に進めなかった。

追討軍が前線から進めないでいることを、中央は怪しんだ。このことを知った征討軍はびっくりして、戦線付近の牛飼いや農民たちを捕まえて、これを叛乱軍の捕虜と偽って長安の都に送った。

長安では皇帝から勅令によって儀礼刀を賜られ、街頭で偽りの捕虜たちの処刑が行われた。捕虜たちは、三段に斬られ、あるいは左右両軍の兵馬が取り囲んで捕虜たちを撲殺した。かくて前線から続々と捕虜たちが送られて来るようになった。兵馬は休みなく往来し、市街で殺された死骸は道路に満ちた。血は流れて土を濡らし泥となった。

見物する人も道にあふれた。皇帝もときどき見物にやって来た。一般人は噂した。「護送されてくるのは叛乱軍ではなくて、近隣の牛飼いや農民ばかりだ。罪もないのに叛徒に仕立てあげられて捕らえられて来たのだ、皇帝の軍隊はまだ州の境界線を突破できず、皇帝に戦果の上がらないのを怪しまれないようにするために、むやみと罪もない人民を捕まえては都に護送しているのだ」と。それはもう誰もが知ることであった。

にもかかわらず、そんな捕虜たちを、左右両軍の兵士どもは、斬り殺しては、その眼肉を裂いて食べていた。だから市中の人々は、いずれも今年はなんと不吉な年かと言い合った。

この文章では唐の皇帝のことが描かれています。皇帝とは、諸国の国王の中の国王、国王たちの支配者のことをいいます。英語ですと「エンペラー（Emperor）」です。エンペラーは当然に最高権力者です。西洋では貴族の妻は、貴族の所有物とされました。その妻を王が見初め（みそ）て「俺によこせ」と横取りしてもどこからも苦情は来ませんでした。なぜなら貴族もまた王の所有物だからです。

国家権力でも上位に国家最高権威が存在しなかった場合にどうなるかと言えば、これは権力者よりも上位には誰もいないわけですから、権力者は国民を生かすも殺すもその日の気分次第という状況が生まれてしまう。その様子がこうして『入唐求法巡礼行記』には書かれているわけです。

国家最高の権力者ゆえにあらゆる権力を持つと腐敗が始まることを学んだ日本は、国家最高の政治権力者よりも上位に天皇という、国家権力を持たない存在を置くことにしたのです。国家最高権威である天皇は、政治権力を持ちません。けれど日本で一番偉い人です。その一番偉い人が国民を大御宝（おほみたから）と規定します。これが日本の形の原点です。

この仕組みにより、天皇の部下となった国家最高権力者たちの最大の仕事は、天皇の大御宝（おほみたから）である国民が、豊かに安心して安全に暮らすことができるようにすることとなりました。

このことは鎌倉以来の武家政権においても重視されました。京の都に天子様はおいでになる。そして幕府には将軍様がおいでになるという形をとりました。国家最高の権威であり、そしてまた神々と直接繋がる存在としての天子様（天皇）がおいでになり、将軍はあくまで天皇の部下であって、天皇から国内の政治を任せられた存在という形がとられたわけです。

このことによって、幕府の仕事も、あるいは全国のお大名の仕事もその根幹にあるのは、その土地に住んでいる人々が豊かに安心して安全に暮らすようすることとなりました。

民からの年貢を、公は災害のための備蓄としてたくわえていた。

「そんなことはない、幕府は五公五民といって庶民から、日本の人口の九十五パーセントを占めていた農民から税を搾り取っていたではないか」という反論をする方もおいでになろうかと思います。これもまた大きな間違いです。

なるほど農家の皆さん方は、その年に生まれたお米の半分をお上に税として納めました。では農家は、残りの半分を使って自分たちの暮らしを賄うのかといえば、そうではないのです。残った半分のお米は、丸ごと村で備蓄しました。去年のお米も備蓄しました。そうして一昨年のお米（古々米）を日々の食卓に用いたのです。今年収穫した新米の五割と、去年収穫したお米の五割が村で備蓄されているということは、村には常時一年分のお米が備蓄されていることになります。このことはお上も同じで、新米と古米を備蓄し、古々米を俸禄米とすることで、常時一年分のお米を備蓄していたのです。

なぜこのようなことをしたのかといえば、日本は天然の災害が多発する国だからです。もし台風等で発生した土石流が田畑や民家を襲えば、民は食も住も失います。けれど国をあげて一年分の食べ物の備蓄があれば、人々は村や田畑を復興させ、再び収穫を得ることができるまで生き延びることができるようになるのです。

昔は冷蔵庫も冷凍庫もありませんでしたが、お米は玄米の状態であれば、常温で二十年経っても食べることができます。だからそのお米を、村では小高い山の上に高床式(たかゆか)の建物を造って保管したし、そのお米を誰に守ってもらうのが一番良いかといえば、それは神様だから、その高床式の米倉の前に拝殿を造って、そこを神社としたのです。少し田舎の方に行けば、いまでも小高い山の階段を登った先に神社が置かれています。その神社の裏手にある奥の院の建物は、もとは米倉として使われていた施設です。

けれど、そのお米も、地震や山火事等で失われてしまうことがあります。ですからお上のもとにも一年分のお米を預けたのです。お上の多くは城を建てていましたが、お城の土台となっている石垣の中は、もともと米倉として使用されていました。これを御蔵米と言います。そして領内に万一のことがあれば、その御蔵米を放出することで、被害に対処したのです。

このことは、税である年貢を納める農家からみれば、いわば災害保険のようなものです。いざ災害となれば、自分たちが納めた何倍ものお米が返ってきたからです。ですから昭和初期まで、我が国では税務署の納税期間中に納税を済ませない人が全国で皆無だったという実績があります。いざというときの備えを、国をあげて大事にしていたのです。

そもそも政治や公務所というものは、いざというときのためのものです。平時ばかりなら、経済効率の追求は民間ベースで十分であって、国も政府も不要です。けれど非常事態となれば、その非常事態のための共同機構が必要になります。警察も消防も軍隊も、そもそもいざというときのためのものです。同様に天然の災害が多発する日本では、日本という共同体における最大の不安事由が天然の災害と人災としての火災や犯罪、戦乱であるわけですから、そのための備えとして共同体としての公務所が備えられていると考えられてきたのです。天災も人災もないなら、公務所は不要といっても決して過言ではない。つまり、政治というのは、本来人々の暮らしの安全と安心を護るためにあるものであり、政治の存在理由は、万一の際の安全保障にあると言って過言ではないのです。

ところが現代日本では、政治は平時の取り組みに重きが置かれ、地震や台風がやってくる都度、「たいへんだ、たいへんだ」と繰り返すばかりです。問題が起きれば「誠に遺憾です」と繰り返すばかり。さらに食料自給は、カロリーベースで三十七パーセントあると説明されていますが、その国内農業は、種子も肥料も、すべて外国からの輸入に頼っています。もしいま世界が戦争状態になり、世界の物流が停止したら、日本人の九割が餓死するという試算もあります。これは戦争以前の防衛問題としての重大課題です。けれどもそうした事態に現代日本政府は、まったく対応しようとしていません。よく世界は進歩しているのだと言われますが、現実の安全保障を考えるとき、現代日本の政治は、まるで機能していないとさえいえようかと思います。

なぜこのような日本になってしまったのかの答えが、この憲法第一条の軽視にあります。天皇は我が国のシンボルであり、その天皇によって我が国の臣民は「大御宝」と規程されているのです。政治の役割は本来、その大御宝たちが、どのような天災人災が来ようが、国民の生命と財産を守り抜く、決して国民を飢えさせることがないようにするところにあるのです。

4　ネイションとステイト

「八月革命説」なるものがあります。日本国は、昭和二十年八月の終戦により革命が起こり、大日本帝国が滅んで新たに日本国が誕生したとする説です。戦後、元立教大学法学部教授で、後に東京大学名誉教授となった憲法学者の宮澤俊義教授らによって提唱された説です。この説では、日本は、昭和二十二年に憲法を制定し、昭和二十七年の主権回復の日をもって、独立国となったと考えます。この説によれば、韓国が成立したのが昭和二十三年、中華人民共和国の成立が昭和二十四年ですから、日本は、そのあとに誕生した新興国ということになります。

一方、日本は神武創業以来二千六百八十年以上続く世界最古の国だという説があります。多くの保守系の皆様は、この立場を取っていて、八月革命説を否定します。あるいは日本は一万七千年前の縄文時代から続く世界最古の国だという見方もあります。もっと古く三万八千年前から存続するという説もあります。

けれど八月革命説を信奉する人たちは、そうした考えを一笑に付します。あくまで戦後日本は、新興国にすぎないという立場をとるからです。また、現代教育を受けた若いエリート諸君に話を聞くと、口を揃えて日本は昭和二十年に生まれた新興国が正しいと答えます。そこで「では江戸時代の日本は、日本ではなかったの？」と聞くと、不思議そうな顔をして、「そんなことは考えたことなかった」と言います。

本当のところ、日本は世界最古の国なのでしょうか。それとも新興国なのでしょうか。

実は、「どちらも正しい」というのが正解です。

国という概念は、日本語では日本国全体を意味する場合もあれば、出雲の国とか尾張の国といったように、旧行政区分の県を意味する場合にも使われます。旧行政区分を国と表現する場合、ここでいう国とは、行政単位を含む政治的組織を意味します。たとえば江戸時代、全国は諸藩に分かれ、それぞれの国に大名がいて、自治を行っていました。そして日本全体のことは「天下」と呼んでいました。「天下」というのは、「アメの下」という意味で、天朝様、つまり天皇の知らす国全体を表す言葉です。天皇の知らす国以外の海外の諸国は、国の外ですから「外国」です。

つまりもともとの日本語では、

「国」……幕府の直轄地と諸藩。都道府県の旧行政単位

「天下」…天皇の知らす国全部
「外国」…地球上の諸国

というように言葉が区別して用いられていたのです。

実は、このことは英語も同じです。

英語では、

ワールド（World）　=世界全体
ネイション（Nation）=文化的、言語的、民族的な結びつきを持つ人々の集団（天下）
ステイト（State）　=国家、政府、行政組織などの政治的組織（幕府及び諸藩）

と区別されます。

すると、八月革命説が説いているのは、あくまで我が国の政治的組織としての「国」、すなわち「ステイト」のことであるとわかります。なるほど、戦後の日本は、大日本帝国の時代の政治組織とも、江戸時代以前の政治組織とも異なる政治体制を持っています。つまりこの理論は「正しい」のです。

一方、日本が縄文以来、あるいは神武創業以来の古い国という見方は、国をネイションと考えたときの見方です。そしてこれもまた「正しい」のです。

つまり、八月革命説も、縄文以来・神武創業以来という見方も、物事の別の面をそれぞれに説いているのであって、考え方としては両方正しいのです。

そしてここからが大事なことですが、なるほど日本は戦後に占領を受け、憲法を新設し、独立国であることを世界から承認されるようになりましたが、その戦後の政治的組織は、果たして国民のためになっているのだろうかという疑問が生じることです。

かつての地球上では、諸国は王国であり、王国は王ひとりのために存在し、王の意思次第で国民は戦争にかりだされたり、あるいは戦いに敗れて王国の民、とりわけ女性たちが強姦等の被害に遭い、これによって双方の国の血が混じりあって新たな大きな王国が形成されるといったことが行われてきました。

それではいけないということになって、国では「国民の国民による国民のための政治」が行われるようにと、様々な工夫や改善が行われ、ときに国家そのものが転覆されたりしてきたというのが、世界の歴史です。

こうした理解の上に立って日本を見ると、日本は歴史を通じて国民を「おほみたから」とし、政治権力は、どこまでも天皇の「おほみたから」である国民が豊かに安全に安心して暮らせるように努めてきたという国柄を持ちます。

その日本が、明治以降、とりわけ戦後においては、西欧諸国に倣（なら）って国の政治制度を導入してきたのですが、その結果、現在、世界においても、また日本においても、一部の富裕層が利益を得るために、国民が働きアリとして使役され、その富がひたすら吸い上げられ続けるという、怪しげな政治体制が生じているといえます。

とりわけこの三十年間の日本は、経済成長そのものが停滞する中で、諸税を含む国民の負担ばかりが増え、ついにはＬＧＢＴ法のような意味不明の法律まで制定される有り様です。

現在の日本の政治体制について、これを褒(ほ)める国は世界中どこにもありません。むしろ戦前戦中まで、あれほど強かった日本が、どうしていまはへなちょこチキンの国になっているのかと不思議がられる始末です。東アジアの諸国で、戦前戦中までの日本人を知るお年寄りに至っては、現代日本人は「日本人ではない」とまで言い切ります。

それだけ「腰抜けチキン」とみなされている日本の政治ですが、その一方で、日本人や、日本人の文化性に関しては、いまもなお、世界から絶賛を浴びています。

ここから次の事柄が見えてきます。

1　日本（ネイション）はもともと世界最高峰の素晴らしい文化を持っていた。

2　けれども戦後の日本の政治的機構（ステイト）は、最低の組織になっている。

という事実です。

では、日本が本来のネイションとしての国の形を取り戻すには、どうしたら良いのでしょうか。

答えは明確です。

日本のステイトの形を修正するのです。

ただし、現状においてそのための流血革命など、国民の誰一人望んではいません。国民が望んでいるのは、流血革命のような悲惨さを伴う改革ではなく、企業などに見られるような「改善」によって、少しでも日本が良い国になっていくところにあります。

戦後の日本ステイトは、結果として「いまだけ、カネだけ、自分だけ」になっているといわれています。それが本当に人々にとって良い国といえるのか。私たちはいま一度しっかりと考えていかなければならないものと思います。

第2章

悪玉論を斬る

1 財務省悪玉論

今の日本が抱えている問題について、「どうも争点が違っているのではないか」と思うことがあります。このことについて第2章では考えてみたいと思います。

よく聞く話に「財務省悪玉論」があります。政治家の先生方や大手メディアがよく口にする言葉です。

たとえば、特別措置があるとはいえ、ガソリン代は相変わらず結構高いです。日本では例えばガソリンの代金がリッター百七十円だった場合、ガソリン本体価格が七十四円。そこにガソリン税が四十九円乗っかります。さらに、石油・石炭税が四円乗り、暫定税がちょっと前まで四十三円乗っていました。これで合計が百七十円になります。この合計金額に十パーセントの消費税十七円が乗っかると、ガソリン代は百八十七円になります。

本来、税に税を掛けてはいけないというのが、政府と国民との約束ですから、ガソリン税の四十九円や暫定税の四十三円にまで消費税を乗っけるというのは、おかしな話です。けれど、そこの部分を差し引いて計算するとなると、消費税の計算が物凄くややこしくなります。だから国民は余計な税金を払わされることになります。

一方、世の中はずっと不況で、この三十年間に日本経済に成長はありません。さらに三十歳から五十歳までの働き盛りの人の平均年収は、三十年前と比べて逆に百万円下がっているといわれています。このような状況にありながら、どうして財務省は税金を上げようとするのかという国民の声に対して、政治家の先生方が口を揃えておっしゃるのが「財務省が悪いんだ。財務省の横暴だ」です。

もともと、財務省というお役所は、我が国の律令以来、ずっと大蔵省という名前でやってきたお役所です。そんな栄えある名称さえ、あまりの大蔵省悪玉論の結果、遂に省名が財務省に変わりました。ところが名前が変わっても、相変わらず財務省は悪玉のままです。

悪法の根源はＧＨＱが創設した財政法第四条

ところが、ここで考えていただきたいのですが、財務省というのはあくまでも財政法という法律に基づいて財政の執行をしている行政機関です。行政機関というのは、法律や政令、省令や過去の通達等に基づいて、公正平等に行政サービスを行う機関です。たとえば役所の住民課の窓口の担当者が、「あんたの顔が気に入らない」といって住民票の発行を渋るということは、これはできないことです。要件が整っていたら、ちゃんと住民票を発行しなければなりません。このことは中央省庁であっても同じです。法を破って財務省が勝手に財政を行うことは、これはできないことです。

財務省の場合であれば、その基本法は財政法です。その財政法第四条に次の文章があります。

国の歳出は、公債又は借入金以外の歳入を以て、その財源としなければならない。

ただし、公共事業費、出資金及び貸付金の財源については、国会の議決を経た金額の範囲内で、公債を発行し又は借入金をなすことができる。

ここで述べられていることは、「国の歳出は税収の範囲内でしか行ってはいけない」ということです。この財政法第四条は、戦前戦中までは存在しなかった法律です。それがいつできたのかというと、ＧＨＱが日本を占領していたときです。そしてＧＨＱが去ったあとも、この財政法第四条はそのまま継続されています。

ＧＨＱがどうしてこの財政法第四条を作ったのかというと、日本が再び強大な戦力を持つことができないようにするためであったと言われています。戦前戦中の日本が戦艦大和を造ることができたのは、国が国民に向けて軍事国債を発行したからです。そして当時の国民が、大和のような巨大戦艦を日本国産で造ることに賛同し、戦時国債を買ってくれたから、日本が世界最大かつ最強と言える戦艦大和を建造することができたのです。なにしろ戦艦大和の完成にあたっては、当時は全国民が大喜びしたほどです。どうして喜んだのかというと、「俺たちが出したお金で世界最強、最大の戦艦ができたから」です。そして付いた名前が「大和」です。それは我が国の古名です。国民が歓迎しないはずがありません。

戦艦大和や戦艦武蔵といったような巨大戦艦を造る、あるいは零戦のような素晴らしい飛行機を造る、あるいは陸軍が非常に性能の良い大砲を造るための費用は、当時は軍事国債によって、つまり現代風にいうなら赤字国債の発行によって賄(まかな)われていました。当時の政府は、必要に応じてどんどんと国債を発行していたのです。国債を買っていたのは国民です。つまり国民の費用によって巨大戦艦や戦闘機などを造ることができたのです。だから日本は軍事産業を発達させることができたし、軍事産業は、例えば戦艦ひとつをとってみても、様々な分野に経済的な波及効果を及ぼしますから、国内産業に大きな経済効果を及ぼしたのです。当時は世界大恐慌のさなかにありましたが、その恐慌とまでいわれた世界的不況から日本がいち早く脱出できたのも、この軍事国債の発行がもたらした経済効果であったのです。

戦前の日本が軍艦の建造費などを国内で賄おうとするとき、貧しかった日本人がどうしてそんなお金を出すことができたのかといった疑問を持たれる方もおいでになるかもしれません。けれど当時の日本が貧しかったのは、まったく別な理由からで、台湾や朝鮮半島に、日本は莫大(ばくだい)な国の予算を入れ込んでいたのです。台湾や朝鮮半島の人たちが少しでも良い暮らしができるようにと、当時の日本は、日本国内での財政収入を、朝鮮半島や台湾に回していたのです。だから日本国内では、一部ではたいへんな好景気を迎えながらも、他方では女児を遊郭に売らなければならないほどの生活苦が起きたりもしていたのです。

ＧＨＱは、日本が独自の再軍備ができなくなるようにと、財政法に第四条を加えました。このため現代日本では、もし公共事業としてイージス艦を造りたいので国債を発行して良いですかという話になると、金額の範囲内を明確に示した上で、国会で承認を得なければならないということになりました。

ところが国会には、戦争絶対反対、軍事費増額絶対反対という政党がいたりします。当年度予算案の中に、軍事費の増額があったりすると、全部の当年度予算が国会で承認されません。すると国は公務員の給料を払えないし、あらゆる公共事業の執行が不可能になります。つまり国としては、問題視されそうな予算は、先にひっこめざるを得なくなります。戦後日本は、ずっとこの繰り返しでした。

戦前の軍事費増強は欧米列強の利益となった。

ちなみに、この問題はもう少し歴史を掘り下げてお話をする必要があります。と言いますのは、日本は、明治以降、先の大戦の終了まで大きな戦争をいくつか行っています。初期の頃の日清戦争、日露戦争では世界の多くの国々を日本は味方に付けることができました。ところが、先の大戦においては、まるで手のひらを返したように西欧諸国が日本の敵に回りました。実はこの理由とも関係しているのです。

日清戦争、日露戦争の頃の日本の軍艦は、ヨーロッパ諸国、イギリスやフランスやドイツなどに艦の建造を発注していました。従って日本が軍事力を増強させるということは、そのままイギリス、フランス、ドイツ、アメリカの企業の収入になっていたのです。

そして、日本が戦争を始めてくれると、当然のことながら戦艦が沈められたり、あるいは戦艦が傷んだりする。その時のメンテナンス、あるいは補充部品の提供といったような物の一切は、やはり戦艦を建造した国に依頼しましたから、日本が戦争をしてくれると、彼らはたいへんに儲かったわけです。だから日本が勝つように協力もしてくれたし、情報も提供してくれたし、また日本が戦争をせざるを得ないような方向に追い詰められていったのも、そういう事情が裏側にあったからということになります。

一方、第一次世界大戦の後、世界的な好景気が一時は世界を覆うのですが、その後、世界大恐慌が起こります。世界中が突然の不況によって、デフレスパイラルの不況におちいりました。世界では、失業率が五十パーセントを超えるなどの大変な不況となったのです。

この世界同時不況をいち早く抜け出したのが日本でした。日本がどうやってデフレスパイラルから抜け出したのかというと、軍艦の建造を外国に発注するのではなく、国内の造船所に命じたのです。呉の海軍工廠、あるいは三菱重工といったような国内の造船ができる企業で、日本は独自の国産戦艦の建造を開始しました。軍艦の建造は、鉄鋼や家具、電気など、多方面に経済効果をもたらします。これによって日本は、世界同時不況のなかにあって、経済を二桁成長させることができたのです。

つまり軍事費による国内予算の増加は、国内経済を多方面において活性化するのです。その一方で兵器の発注を海外諸国にしなくなるということは、それらの国を敵に回すということにもなってきます。現代日本は、イージス艦や戦闘機、輸送機、ミサイルなど、主要装備のすべてをアメリカから買っています。アメリカから買うというのは、アメリカに日本の軍事を握られてしまうということであると同時に、軍事費増加が、日本国内の景気の活性化には何の役にも立たないことを意味します。それどころか国内の富が海外に流出するのですから、日本人は働けど働けど我が暮らし楽にならざり、という状況になります。

日本人が一生懸命働いて稼いだお金が、そのままアメリカに流出するのです。だから日本の景気は一向に良くなりません。

さて、財政法の第四条によって、財務省は公債を発行することができない。公債の発行は国会が承認し、決めた範囲でしかできない。国会議員というのは、地元に利益を還元する役割も持ちますから、地方に箱物と呼ばれる公共の建物や、道路などの建設を進めようとします。そのための公債の発行は、議会を通過することができる。こうしていつのまにか国債の発行残高が増加していきます。

けれど国会は、国債の発行残高をどうすれば減らすことができるのかについては、何の算段もしてくれないわけです。つまり国の財政赤字が広がる。赤字はどこかで埋め合わせなければ財政が破綻します。だから財務省としては財政法の第四条があるのですから、税金を増やすしか他に方法はありませんよとしか言えなくなるのです。

時折、元気のいい国会議員さんが財務省のやり方はなってないじゃないか、どうしてこんなデフレの時代に税を上げるというとんでもないことをするんだと言って、声を張り上げますが、その都度、財務省のお役人さんの答えは、「財政法の第四条があって、そして公債又は借入金以外の歳入でなければいけないという中にあっては、赤字国債がこれだけある、これだけ膨らんだ赤字国債を減らすためには税収を上げるしかないのであります」です。筋の通った答えですから、大声を張り上げて切り込んでいった国会議員さんも敗退せざるを得なくなるという状況になっているわけです。

そして敗退した国会議員さんが口を揃えて言うのは、「今の日本の景気が悪いのは財務省が悪いから」です。けれど経済の問題というのは善悪の問題ではありません。どうすればお金が循環していくのかという具体的な算段を付けていく問題です。そして財政法の第四条がGHQの置き土産で日本の財政の両手両足を縛り付けているなら、財政法の第四条を廃止するか改正するしかないのです。

では法の改正は財務省の仕事でしょうか、それとも立法府である国会の仕事でしょうか。答えは国会の仕事です。国会議員さんが財政法の第四条からまず変えていこうとしないなら、この問題はいつまで経っても解決しないのです。つまり財務省悪玉論を訴えるだけでは、実は何の解決にもならないのです。

例えば、利付債といって、利息を払わなければならない国債を現在発行していることによって、利払いが大変な国庫の負担になっているということであれば、無利子国債を発行してこれによって利払いを大きく減らしていくということも可能です。けれどそもそも赤字国債の発行が、財政法第四条によって、できないのです。

では財政法の第四条を変えるためにはどうすれば良いのでしょうか。予算委員会で財務省の職員を摑まえて文句を言ったら法律の条文が変わるのでしょうか。変わりません。変えようとするなら、国会において、国会議員の過半数の賛同を得て、法の改正を行わなければならないのです。そしてそのための合意を形成すべく、国会内で議員勉強会を開き、賛成する議員の数を増やしていかなければならないのです。

文句や悪口ばかり言っているような政治家であれば、だんだん他の議員が離れていきます。あたりまえです。いつ手のひらを返して自分の悪口を言われるかわからない。つまり悪口ばかり言っているような議員さんでは、議員間の合意の形成をすることはできないのです。

では、合意の形成をするためには何が必要なのかと言えば、本当に日本をちゃんとした国にしていこうという情熱を持ってひとりひとりの国会議員さんに同じ志を持ってもらえるように、皆で勉強をしていくしかないのです。

2　文科省悪玉論

文科省についても同じことが言えます。今、学校の歴史教科書は文科省が教科書検定をして、検定に合格した教科書だけが学校の教科書として利用されることになっています。その教科書ですが、今、手元に学び舎の『ともに学ぶ人間の歴史　中学社会（歴史的分野）』という教科書があります。この教科書のあるページにこのような記述があります。

「（中国の）首都南京へ向かって進撃しました。日本軍は食料などの物資を十分には補給されず、現地で調達せよと命令されていました。そのため、日本軍が通過する地域の住民は食料を要求され、略奪、殺傷などの被害を受けました。日本軍は12月、南京を占領しました。このとき、国際法に反して、大量の捕虜を殺害し、老人、女性、子供を含む多数の市民を暴行、殺害しました（南京事件）。日本では南京占領を祝う行事が盛大に行われました。」

この文章を読んで、これは歴史上の正しい事実だったと思われますでしょうか。まったくもってナンセンス極まりない嘘八百の記述でしかありません。にもかかわらず、どうして文科省の教科書検定で合格するのでしょうか。そこには理由があるのです。この教科書の表紙には『ともに学ぶ人間の歴史』と書かれていて、そのすぐ下には『中学社会（歴史的分野）』と書かれています。実はこの教科書は、歴史教科書ではなく、社会科の教科書なのです。そして社会科の中で、歴史的分野を扱っているのです。

社会科と歴史科では、教える内容がまったく異なります。社会科は、その生徒が社会人になった時に必要な社会常識を教えるための教科です。従って、たとえば日本の近くに、国民の女性の8割を慰安婦に強制的にされたと主張している国があったり、あるいは南京で日本軍によって大虐殺が行われたという主張をしている国があれば、そのような主張をしている国があるということは、これは事実ですから、社会科の教科書としては、右にあるような文章が書かれていても、それは間違いではないのです。

日本には歴史教科書がない。社会科教科書しか存在しない。

納得できないという方もおいでになると思いますが、社会科とはそういう分野です。もちろんそれらの記述は歴史的事実ではありません。ですから歴史の教科書であれば当然そのような記述はありえません。歴史とはあくまでも過去の事実を時系列に並べ、その事実がなぜ起きたのか、それによってどのような出来事が引き起こされたのかをストーリー化する学問です。あくまで事実に基づきますから、事実でないものは歴史にはなりません。しかし残念ながら日本での歴史教育は昭和二十年にＧＨＱによって停止させられて以降、未だに復活していないのです。

昭和二十年の十二月にＧＨＱは、いわゆる「教育指令」なるものを発しています。教育指令は第一から第四まであり、第一指令は総理大臣などが神社に参拝する際の真榊（まさかき）の奉納は私費で行うこと。これは今でも守られています。

第二指令は、ＧＨＱの政策に反対する教職員や官僚の公職からの追放です。いわゆる公職追放で、これによって二十三万人の大学教授や学校の先生らが公職から追放されていきました。

第三指令は、国家神道や神社神道への政府の保証や支援、保全の禁止です。これによってかつては役所であった神社庁が、今では一民間の団体になっています。

そして問題は第四指令です。ここで「修身、国史、地理」の授業が無期停止にされました。無期停止というのは、期限を定めないで停止するという意味です。これにより終戦直後の学校の教科書には、墨塗りが行われました。墨塗りは徹底していて、当時は挿絵として描かれていた軍人さんの絵まで墨塗りの対象にされています。

けれど、いつまでも教科書に墨を塗ったままにしておくわけにはいきません。そこで昭和二十二年に文部省が発したのが、「修身、国史、地理科目の廃止と、社会科の新設」でした。ＧＨＱでさえ「停止」だった、つまり一時停止のわけですから、将来的にこれら科目の復活の余地があったものを、いつの時代にも茶坊主というのはいるもので、文部省が「廃止」にしてしまったのです。そしてこの状態はいまでも続いています。

このため、以後の、我が国の誰もが日本史や世界史、あるいは地理として認識している科目は、ことごとく社会科の教科書になっています。社会科ですから、「平安京はいつできたのですか」「七九四年です」というように、テストには必ず正しい答えがあります。けれど歴史は、先に述べましたように、過去の事実がなぜ、どのように起きたのかを考える学問です。たとえば源頼朝がどうして「鎌倉に」幕府を作ったのかの理由を説明した文書はありません。けれど鎌倉に幕府があったことは事実です。そこで「なぜ頼朝は鎌倉に幕府を作ったのかを考える」、これが歴史教育です。

このことは、企業などで行うケース・スタディに、その手法を見ることができます。その会社で過去に起きた事件を通じ、どうしてそのようなことが起き、本当ならどのように対処すればよかったのか。これを考えるのがケース・スタディです。なのにその事件が何年何月何日に起き、当事者が誰であったのかをただ丸暗記したところで、何の意味もありません。

歴史教育も同様です。過去の事実をもとに、それがどうして、なぜ起きたのか、そしてどうしたら良かったのかなどを、子供たちが「自分の頭で考える」ことが重要です。そのためにあるのが歴史教育で、こうした授業は我が国では奈良・平安の昔からずっと行われてきたことです。なぜそういえるのか。万葉集にしても日本書紀にしても、そのような読み方をしなければ、そもそも理解できない。全部漢字で書いてあるのです。漢字一文字ごとの意味をしっかりと受け止めなければ、文の意味を理解できないし、筋書きがわかっても、どうしてそうなったのかは、文中の手がかりを通して自分で考えなければわからないのです。江戸時代の教育も同じです。関ケ原の戦いは東軍の勝利となりましたが、では西軍が勝利するためにはどうすれば良かったのかを、過去の事実に照らして考えるのです。そうした教育によって、日本人は極めて思考力に富む民族となりました。だから軍隊においても、自分がいまなにを求められてそこにいるのかを、ひとりひとりがちゃんと役割を理解している。単に上からの命令で銃を撃っているのではないのです。その意図を、理由を、それぞれが自分の頭でしっかりと考えられたから、その場で最期まで責任をまっとうできたのです。

ＧＨＱが壊そうとしたのが、これです。だからＧＨＱは修身、歴史、地理の教育の停止を命じたのです。ちなみに修身は「身を修める」と書きます。教科書にある短い挿話から、どうすれば我が身を律することができるのかを、生徒それぞれが自分の頭で考えたのです。これはいまどきの教育の専門家が口にする道徳教育とも異なります。道徳教育は、「これが道徳だ」と教えますが、修身は過去の事実等を示して、では自分ならどうするか、あるいはどうすべきなのかを考え、身につける教科だったのです。

地理もまた、現代教育とは異なります。地理は昔は「名頭(ながしら)」と呼ばれ、地名の意味を教わりました。たとえば近所に弁慶橋という橋があれば、そこにはどうして弁慶の名が付いたのか。地名でも橋や道路の名前でも、そこに名前があるのなら、そこには必ず由来があります。東京の世田谷区であれば、世田谷という名前には、ちゃんと由来があるのです。その由来を教える。人は知れば知るほど、その対象を好きになるものです。つまり地理はそのまま郷土への愛を育む教科であったのです。

郷土を愛し（地理）、身を律し（修身）、そして事実からその奥にあるストーリーを自分の手で摑み取る。そういう訓練ができたから、昔は子供たちにとって、学校が楽しいところであったのです。

では、そうした教育ができないことは、文科省の責任でしょうか。文科省は昭和二十二年の通達に基づいて、教科書の検定を行っています。そしてその通達にあるのは、社会科です。文科省は、社会科の教科書としてしか歴史や地理の教科書の検定はできないのです。

この状況を脱するには、何よりもまず、昭和二十二年の文部省通達を執行停止にする必要があります。けれどそれは文科省の権限の外にあることです。なぜなら変える権限は、国会にあるからです。では戦後、そのような行動が国会議員の中であったでしょうか。

3　外国人への生活保護

財務省悪玉論、文科省悪玉論というものが、実は見当違いのものであるということを述べてきました。耳が痛いと感じられた方もいたかもしれません。もうひとつ、どうしても申し上げておかなければならないことがあります。それが外国人への生活保護の支給の問題です。

日本国内で多くの外国人が生活保護を受けています。それどころか国外にいる自分の親戚の分まで生活保護の申請をして受けているというケースもあります。本来であれば月額で十数万円しかもらえないはずの生活保護の金額が、本国にいる自分の親戚まで全部生活保護の対象としてしまった結果、月に百万円、二百万円の生活保護金を受給している、そんな猛者まで誕生しているという噂もあります。

また、外国人で日本で働く人が増えていますが、どんな人でも必ず歳はとります。外国人が年をとって、老人となってそれまでの仕事に就けなくなったとき、彼らには年金がありません。仕事ができず年金ももらえないということになれば、彼らは当然のことながら生活保護に頼るしかないということになります。

外国人が年金をもらわなくても平気な理由

ここには不自然なカラクリがあります。日本人の場合、普通に就職すれば年金保険料が給料から引かれます。これは外国人労働者であっても同じです。けれど外国人は、一定期間経過後に本国に帰ります。つまり日本での年金は受け取れません。そこで帰国時には、それまで積んだ年金保険料をまとめて日本政府から返してもらうことになります。これを脱退一時金といいます。ここまでは当然のことです。ところがその外国人が再び日本に入国してきたとき、また同じことが繰り返されるのです。そうして何度も脱退一時金を受け取った後、日本で老後を迎えるようになったとき、彼らは年金をもらえません。これは当然のことです。積んだ年金は帰国の都度、返還されているからです。ということは老後の生活が成り立たないわけで、彼らの日本における老後は、年金暮らしではなく、生活保護を受給するようになるのです。

この場合、彼らの生活保護費は、日本国民の税金から支払われることになります。ある市町村に、以上の趣旨による外国人生活保護者が、千人いた場合、ひとりあたりの給付金が仮に年二百万円としても、その地方自治体は、毎年二十億円の支出が生じます。小さな都市の場合、これだけで地方自治体の財政は完全に破綻します。生活保護は国のシステムですが、支払いは地方自治体が行うからです。地方自治体の財政が破綻すれば、市の行政サービスの一切が停止します。実はこのような事態が既に目の前に迫って来ています。

外国人への生活保護。果たしてそれは良いことなのでしょうか。実はこのことについて国の予算委員会で「外国人に対する生活保護はおかしいのではありませんか」と厚生労働省に質問される国会議員さんもおいでになります。生活保護は本来日本人だけを対象としているものであり、最高裁の判決でも外国人に対する生活保護の支給は違憲であるという判決があります。「にもかかわらず、どうして厚生労働省は外国人への生活保護を認めているのか、お答え願います」というわけです。

すると厚生労働省のお役人が「お答えいたします。おっしゃるように生活保護は日本人を対象としております。しかしながら最高裁による違憲判決については、その裁判となった案件に関しての違憲を認めているだけで、全国で行われている個別の外国人への生活保護の支給については、様々な事情があることに鑑みて違憲としているわけではない、と判決文に明確に書かれています。また生活保護は日本人対象というこの法律の規定につきましても、だからと言って外国人への生活保護の支給を《禁止している》わけではありません。日本人を対象としていると書かれているだけで、外国人への支給の禁止を定めたものにはなっていません。従って市町村が個別の事情を勘案して当該外国人への生活保護を行うということであれば、中央の官庁で規制するということはできないという仕組みになっております」と回答します。

残念ながらこれを言われると、質問した国会議員さんも、それ以上ぐうの音も出ません。むしろこのような質問を国会議員さんが予算委員会でしたことによって、外国人の依頼を受けて市役所の窓口にやって来る社会保険労務士の方からすると、「厚生労働省が予算委員会で外国人への生活保護を禁止しているわけではないと答えているでしょ。にもかかわらず、この役所ではどうして私の申請を断るんですか。おかしいんじゃありませんか」と、国会での質問が逆手に取られて、外国人への生活保護の支給金額が増えていくという、実はまったく逆の結果を招いていたりするのです。

役所が外国人に生活保護を認めざるを得ない理由

では、そもそも外国人への生活保護がどうして可能なのかというと、これはまだ日本が主権を回復したばかりの昭和二十七年当時、かつて日本の一部であった地域が、戦後には外国になりました（朝鮮半島、台湾その他、太平洋の島々）。それらの地域の出身で日本に居住している人たちの中で、戦争で腕や脚を失ったり、失明したりした人たちが相当数いたのです。このような人たちをどう保護するかという議論になって、当時は「今は外国人となっている人であっても、もとは日本人であったのだし、彼らへの生活保護の支給は拒むべきではないのではないか」ということで、局長通達がなされたのです。これはこれで極めて人道的な判断であったろうと思います。

ただし、それはあくまでも昭和二十七年の話です。今はまったく時代が違います。違っている以上、制度もその違っているものに準じて見直しをかけていかなければならないはずです。それが見直されないまま放置されることによって、このややこしい問題が起きているのです。

では、外国人に対する生活保護の支給を全面的に止めさせるためには、どうしたらいいんでしょうか。答えは極めてシンプルです。昭和二十七年の局長通達を廃止する。このことを国会で決めれば済むだけのことです。つまり外国人に対する生活保護をするもしないも、続けるも続けないも、これは国会で議決することによってすべて決まるのです。

ということは、国会議員さんひとりが「おかしい」と言って質問するよりも、おかしいと思う議員さんの仲間を集め、過半数の議員さんの賛同を得て廃止を決めていくという流れができなければ、実際には何も変わらないのです。

現在の日本の仕組みにおいては、年金をもらうよりも生活保護を受給した方が遥かに大きな金額を受け取ることができます。結果、外国人に極めて優遇されたシステムになってもいるのです。

この問題について、自民党は本会議で抜本的な見直しを図っていくと回答しています。今後は党を挙げてこの問題の解決に向けて動いていくということです。

しかし、二十年以上にわたって指摘され続けていた問題が、どうして今になってようやく表舞台に浮上したのかといえば、それはただいたずらに「おかしいじゃないか」と繰り返したり、ただ政府を叩く、厚生労働省を叩くということではなく、ちゃんと変えていこうという国会議員間の合意の形成が、ようやく図られるようになったことによります。

何でもかんでも反対すれば世の中が良くなるというものではない。そのことを私たちは学んでいく必要があると思います。

4 学ぶこと、合意を形成すること

ここまでで、財務省悪玉論、文科省悪玉論、また外国人生活保護に関する問題を掘り下げました。これらの問題を掘り下げた理由はただひとつ、「ただ文句を言うだけでは何も変わらない」ということです。

日本がまだ高度成長を続けていた当時から、大変に人気のあったテレビの政治討論番組に、田原総一朗さんの「朝まで生テレビ！」という番組があります。一九八七年放送開始ですから、かれこれ四十年近く続いている御長寿人気番組です。この番組では、一定の政治テーマについて、賛成派と反対派に分かれて毎回、激しい議論が戦わされています。ときには双方が感情的になって怒鳴り合うこともあります。まさに朝まで徹底討論が行われているのですが、しかし、この番組によって何かひとつでも政治が良くなったことがあったのかといえば、答えはＮＯです。つまりバトルをしても、いくらののしっても、何も変わらないのです。

もともとこうした番組は、高度成長期のサラリーマン社会において、職場ではいくら不都合があっても、なかなか上司を怒鳴りつけたりするわけにはいかない。そんな社会のストレスを、会社の上司よりももっとずっと偉い人たちをつかまえてののしることで、いわば社会のガス抜きとして人気を博した番組です。番組自体が政治を変えようとか、社会を良い方向に持っていこうとするものではないのです。

それでも、どんなにののしりあいが行われたとしても、社会全体が高度成長している時代であれば、誰も彼もが時代の恩恵を受けて、経済的には一定の豊かさを手に入れることができていたといえます。けれど、バブル崩壊後、かれこれ三十年間にわたって日本経済が成長せず、いまや物価の安い国ベストテンで、日本は内乱状態にあるアフリカの新興国よりも、いまでは物価が安い国になっています。その状況下にあって、あいも変わらず、ただガス抜きの議論ばかりを繰り返していても、何の役にも立ちません。いまどきの若者たちは、とっくにそうした事実に気がついているから、いわゆる「若者の政治離れ」が進んでもいるのです。

それどころか近年では、コロナやワクチン等に関して「おかしい」と言おうものなら、それだけで社会から排除されてしまう。あるいはＬＧＢＴおかしいじゃないかと言えば、言っている人が差別主義者とのレッテルを貼られてしまったりしています。

議論をしても喚き散らしても何も変わらないどころか、議論をしようとしただけで、差別主義者だとか陰謀論者だと言われて、議論にもならないのが昨今の我が国の現状です。では、どうすれば本当に日本を変えることができるのでしょうか。答えは実は極めてシンプルなものです。それは「学ぶこと」と「合意を形成すること」です。

まず、何が問題なのか、どうしてこのようなことが起こっているのか、そしてそれを改善するにあたって問題点だけを知る必要があります。ただし知っただけでは何の解決にもなりません。どういう方向に向けて改善していくのかという思考が必要になります。

アイデンティティ＝国民精神

そして実は、その思考の根幹となるのが、日本人としてのアイデンティティです。アイデンティティは、よく「自己同一性」などと翻訳されますが、どうもわかりにくい。わかりにくいのだけれど、イギリス人にはイギリス人としてのアイデンティティがあるし、米国民もフランス国民も、この点はみんな同じです。

本来はアイデンティティは「国民精神」と訳すべきなのです。国民精神なら、イギリス人にはイギリス国民としての国民精神があり、米国人には米国民としての国民精神があるし、フランス人ならフランス国民としての国民精神があるということになります。もちろん日本人なら日本国民としての国民精神があります。

国民精神というのは、国家のために自己犠牲をすることばかりをいうのではありません。本来の意味は、その国の国民が共通して持っている固有の気質や精神のことをいいます。たとえば米国人なら、個人の自由や自己表現を重んじ、どんな出自や背景があっても、努力次第で成功できるという信念を持ち、多様な文化に寛容で、楽天的であり、成功も失敗も自己責任で切り開いていくといった考え方が、米国民としての国民精神ということができようかと思います。

イギリス人なら、英国の歴史・伝統・文化に誇りを持ち、ユーモアを楽しみ、冷静で忍耐強く、個人のプライバシーを尊重し、マナーを大切にするといった国民精神を共有しています。

　では日本の場合はどうでしょうか。日本人は（あくまで一般にですが）、集団における協調を大切にし、勤勉で努力家、責任感と義務感が強く、規律や秩序を重んじ、礼儀正しく謙虚といったものが、日本人の国民精神の特徴といえます。なぜこのような精神が育まれたのかといえば、日本は天然の災害が多発する国だからです。たとえば水害対策のための堤防づくりは、ひとりではできません。巨大な河川の堤防を築くのです。皆で協調し共同し、どうしたらより強い堤防が築けるのか、どうすればもっとも早く合理的に築くことができるのかをしっかりと研究し、工事に際してはそれぞれが持ち場をしっかりと築き、指揮命令系統をしっかりと踏まえ、互いの人間関係に齟齬（そご）をきたさないよう、親しき中にも礼儀をもち、空威張りせずに謙虚であることが、社会人として必要なことであったといえます。

　つまり、いまだけ、カネだけ、自分だけではなく、常に、みんなの幸せのために、みんなと幸せを築いていくといった精神が、日本人が長い歴史・伝統・文化から育んできた国民精神といえます。

現状の問題点をいかに解決すべきかというとき、こうした国民精神の原点に返ることは、とても大切なことといえます。なぜなら「日本を良くしよう」という場合においても、それが「誰かひとりにとって良くなること」を意味するのか、それとも「みんなが良くなること」を共通意識にするのかによって、結果は真逆の方向に向かうことになるからです。

福沢諭吉は、「民度が低ければ辛き政府となり、民度が高ければ優しい政府となる」と言いました。日本人自身が民度を上げていかなければ、いつまで経っても国民にとって良い政府など生まれないのです。では民度を上げるために何が必要なのかといえば、「学ぶこと」です。そして積極的に今ある問題点を認識し、それを変えていくためにみんなで合意を形成していくことです。どんなに自分が正しいと思っていても、それが他の人たちにとっても正しいことといえるとは限らないからです。

現代日本は、議会制民主主義をとっています。それが良いか悪いかということは別として、議会制民主主義という仕組みになっている以上、これを変えるのも議会制民主主義の中で変えていかざるを得ません。そうであれば議会において圧倒的多数の人たちがこれおかしいよねと思ってもらえるように、しっかりと合意を形成していくことが大事です。極めてシンプルな、ごくあたりまえなこと、それがこの「学ぶこと」と「合意の形成」の二つです。

例えば、教科書が検定で不合格になった。だから文科省が悪い。文科省が指摘したあそこが悪いここが悪い、おかしい。もちろんそのように個別に指摘をしていくことも大切なことです。これは学問の世界で実際に教科書を執筆されていた先生方にとっては、何をどう書いていけば良いかということが、非常に重要であるからです。先生方がしっかりと個別の課題に向き合っていくことは大切なことです。

ただ、全体として、やっていかなければならないことは、社会科を歴史科に変えていくという点にあります。同様に財務省が増税をしなくても財政をしっかりと運営できる仕組みをつくっていくこと、あるいは日本人の生活よりも外国人の生活を優先するような制度を改めて、そして日本人が本当に豊かに安心して安全に一生暮らすことができる日本にしていくこと、そうした地道な努力こそが肝要です。これらの目的を達成しようとするとき、どういうわけか一部の人たちがそれによって利益を得ることができるようなおかしな形になってしまうことがあります。これを防ぐためには、何が間違っていて何が正しいのかを、しっかりと皆で学んでいくことが大事であると思います。

国民的な合意の形成ということを抜きにして、出来上がったことについて議論を交わしても、すでに遅いのですから、ちゃんとした形に、しっかりと合意を形成していく。この一点に気が付けば、我々のすべきことは明らかになってきます。学ぶこと、合意を形成することです。

そして、さらに国民の代表である議員も、ただ批判したり悪口を言ったりする人ではなく（なるほどそういう人の発言は、ある意味小気味よいものですけれど）、そのような人よりも、ちゃんとまじめに学び、合意の形成をしていく人たちを国会に送り込んでいくことが大事です。これは我々有権者ができることです。

そんなこと言ったってひとりじゃ何もできないよ。このように思われる方もおいでになろうかと思います。違います。ひとりの力は小さいけれどもゼロではないのです。どんなに小さい力であっても、それが何百、何千、何万、何十万、何百万と広がっていった時には、それは国を動かす大きな力になるのです。

つまり、自分の今の小さな思いを実現していこうと思うならば、その思いに共感してくれる仲間を増やすことです。そんなのんびりしたことを言っている暇はないんだ、もう時間がないんだ、すぐに戦うべきだ。もちろんそうです。でも、本気で変えようと思うなら、回り道に見えるかもしれないけれど、一歩一歩着実に物事を進めていかなければならないのです。ただひたすら誰かを悪者にしているだけでは、何も変わらないのですから。

第3章

本来の日本の姿

1　三万年以上続く縄文文明

前章で、学ぶことと合意の形成が大切だということを申し上げました。何を学ぶのかと言えば「国民精神」だとも申し上げました。そこで本章では、我が国の国民精神とはどのようなものであるのかを考えてみたいと思います。

私たちは、縄文時代という古くて長く続いた時代があったことを知っています。多くの皆様方は、縄文時代というのは一万年以上続いた時代であることを、いまではすっかり認識しておいでのことと思います。

最近では三万八千年前には既に縄文文明は始まっていたという見解もあります。その説をとるならば、縄文時代は、今からおよそ二千四百年前の弥生時代の始まりまで、三万五千年以上続いた時代であったことになります。

その三万五千年という途方もなく長い期間を通じて、我が国の遺跡（これは全国に数万カ所ありますが）から出土する人骨で、武器で殺されたものは、いまだほとんど発見されていません。

まれに頭蓋骨に穴が開いたような人骨が出土することもあります。そのような外傷を受けた遺体がまとまって何十体も埋まっていれば、戦争があった、殺し合いがあったということになるのですけれど、健常者のままお亡くなりになった遺体の中にそのような遺体がポツリと一体だけ紛れているようなら、それは争いがあったことを意味しません。むしろ何らかの事故で怪我をして亡くなったと考えるべきものであるといえます。

そもそも、骨にまで及ぶ外傷を受けたと思われる人骨自体が、出土する人骨のわずか一・三パーセントしかありません。この一・三パーセントという数字は、世界の標準と比べても十分の一以下なのです。つまり日本人は、三万五千年の長きにわたって、人が人を殺すという文化を持っていなかったということになります。

ちなみに、つい最近のことですが、スペインで五千年前の戦争の跡といえる人骨が多数発掘されました。これは、三百体以上の人骨がことごとく外傷を負っていた。骨折をしている者、頭蓋骨に穴が開いている者、そのような要するに怪我をした人骨、しかもその怪我がある程度治ったところに、さらにまた怪我をしてお亡くなりになって埋葬された。このような人骨がまとまって見つかりました。研究者の中では、おそらく民族紛争のようなものが起こって、その土地に住む敗れた部族が皆殺しにされた結果であろうというふうに言われています。

西洋では、少なくとも五千年前にはそれだけ大掛かりな殺し合いが行われていたわけです。こうした社会構造は、西洋では中世のヨーロッパでも続きましたし、さらに、大航海時代になってヨーロッパの人たち、西欧の人たちがアフリカやアジアに進出するようになると、アフリカやアジアで同じような虐殺が繰り返されています。

ではなぜ日本では、人が人を殺すという文化が発達しなかったのでしょうか。これについては二世紀の卑弥呼の時代にその先例が示されています。この時代に倭国内で男性の王同士の大きな乱があったことが、複数の中国の史書に記されています。けれど最終的に女性である卑弥呼が大王となることで、争いが止んだと書かれているのです。どうして女性がトップに立つことで乱が収まったのでしょうか。その理由が書かれた書物はありません。ただし魏志倭人伝には、卑弥呼が年配で独身であったと書かれています。中国の史書というのは、王朝の正統性を確保するという目的で書かれた書です。正統性というのは、言葉を変えれば「誰が一番偉いのか」という意味になります。そして中国皇帝が一番偉いなら、周辺の諸族は、すべて蛮夷とされます。そして史書において蛮夷には、ろくでもない漢字があてがわれました。

ですから卑弥呼というのは、音をそのままに、意図して意味の良くない漢字をあてたものということになります。一方、我々日本人からしてみれば、「ひみこ」は「日の巫女」となります。ちなみにカタカムナでは「ひ」は太陽、「み」は大切なもの、「こ」は固めるものという意味になります。太陽の恵みを受けて、それを地上において固めるもの、といった意味になるわけです。いずれにしても「ひみこ」は、太陽の神と繋がるお役目を持った女性ということになります。

この「女性だけが神と繋がることができる」という考え方は、縄文以来の思考に基づくものといえます。なぜなら祖代において、子を産むことができる女性は、まさに神の力を持つ者と考えられたといえるからです。縄文時代の遺跡には必ず貝塚があり、そこには貝殻の他に魚の骨などが捨てられていますが、こうしたことからこの時代の男たちの仕事は、海に出て魚を獲ってくることにあったと考えられます。一方、陸(おか)にいる女性たちの仕事は、原で太陽の恵みを受けた野菜や稲を育てることでした。つまり太陽の恵みによってできる作物を育てるのも女性の役目、子という新しい命を産むのも女性の役目、そして生まれたばかりの赤ちゃんに母乳をあげることもまた、女性にしかできない仕事でした。そして、海に出た父や夫や息子の無事な帰りを祈るのもまた女性たちの役目でした。こうした生活が万年の単位で続いたのです。そのなかで「女性だけが神と繋がることができる」という思想が育まれたとしても、なんら不思議はありません。

そして女性のなかでもリーダー的な存在であったり、あるいは最も強く神と繋がることができる女性が、まさに「日の巫女（ひみこ）」と呼ばれるようになったとしても、なんらおかしくはないのです。

男たちによる争いになったとき、争う男たちが鎮（しず）まったのもまた、武力ではなく、神と繋がる女性の力でした。そのことが倭国大乱と卑弥呼の伝説となって中国の史書に書かれたと考えれば、辻褄（つじつま）が合ってくるのです。

面白いことに、九世紀に書かれた『令集解（りょうのしゅうげ）』という書物には、「ある文に曰く、さらにあるに曰く」と、古文書の中にさらに古い時代のことを記載した文章があります。それはおそらく三～四世紀頃の日本の民間の姿です。描かれている姿は、毎月一回、村人たちが神社に集まって、そこで社主（今で言う宮司さん）から中央の動静の話等々を聞き、その後皆での食事会が催されます（今で言う直会（なおらい））。その食事会のときの席順は、単純年齢順だと書いてあります。余程のことがない限り、村でもっとも年配なのは、お婆ちゃんです。つまり上座に座るのは、もっともお年寄りのお婆ちゃんで、そこから単純年齢順で座が決まり、直会が行われていたと書かれているのです。

このことが示す意味は重要です。つまり、我が国では席次を考える時に身分の上下や、あるいは財力の有無ということは一切勘定に入らなかったということを意味するからです。おそらく村の中には力持ちもいたことでしょう。武芸に秀でた人もいたかもしれません。気の荒い人だっていたはずです。あるいは中央の役所で一定の役目をもらったような偉い人もいたかもしれません。あるいは、商売で大儲けをしているような人もいたかもしれません。でも、村人たち皆で食事をする時は、単純年齢順であったとここには書かれています。つまり村でもっとも力を持っていたのは、最年長のお婆ちゃんだったのです。

このことは、村同士の戦いになったときにおいても、それぞれの村の最長老の女性たちの中で、さらにもっとも高齢な女性が、男性たちの争いに最終的に終止符を打つことができた、と考えられるのです。

２　青銅器と鉄器の時代

三万八千年前から続いた縄文文明、そしてその縄文文明の途中から、おそらく八千年前ぐらいから我が国では青銅器が使われるようになったと申し上げたら驚かれるでしょうか。残念ながら、まだ考古学上の現物は見つかっていません。けれどそう考えないと、辻褄が合わないのです。

一般に青銅器時代のあとに鉄器の時代が到来したとされます。このことは必要な火力によります。青銅の溶解温度は、黄銅（銅六十五パーセント、亜鉛三十五パーセント）と呼ばれるものでおよそ九〇〇℃〜九四〇℃です。鉄は一五三八℃で、炭素含有量が多いと一四〇〇℃くらいから溶解が始まります。一方、木を燃やしたときの温度は、炎が三〇〇℃〜一一〇〇℃で、このときの燃焼床の温度は五〇〇℃〜八〇〇℃になります。

土器は粘土で形を作ったあと、火の近くに置いて水分を飛ばすことで硬い土器に仕上げますが、初期の頃の土器は、下部がとんがった形をしています。下がとんがっていたら、そこらへんに置いて使うことができません。土中に半分埋めて使わなければならない。どうしてそんな面倒なことをしていたのかというと、初期の頃の土器は、いわゆる野焼きで、言ってみれば焚き火の上にただ土器を置いただけという作り方だったのです。すると燃焼温度がそんなに上がらないので、土器の水分を十分に蒸発させることができず、結果として水漏れがする土器になってしまいます。だから土中に半分埋めて使っていたのです。

ところが単に平地で焚き火をするだけという形では、風で火が消えてしまったり、同じく風で火の粉が舞って火災の原因になったりします。そこで縄文中期頃になると、土器を制作する際に、焚き火の周囲を石で囲むようになるのです。こうして出来た石の壁が徐々に高くなり、そのうち上に蓋(ふた)をするようになります。つまりカマドが誕生するわけです。同じように火を焚いても、一時間以上カマド内で木を燃やし続けると、煙がほとんど出なくなり、カマド内部の温度は一一〇〇℃あたりまで上昇します。つまり青銅が溶解する温度になるのです。

青銅は銅と錫の合金ですが、このときたまたまカマドの内側に黄銅鉱、輝銅鉱、青銅石などがあると、ここから青銅が溶けてカマドの床に溜まります。何度もそれが繰り返されるうち、長い歳月の間には、床に溜まるその硬いものを型に流し込むようにしてみようという動きが生まれたとしても不思議はありません。そして一度、型に嵌めて青銅器が出来るようになると、そこからは道具として様々な加工が施されていくようになるのです。

縄文式土器は、八千年前あたりから、底の尖った尖底（せんてい）型から、底の平らな鉢形になります。これはつまり火力が変わったということです。そして鉢形になれば、青銅器の製造が可能になるのです。

現在、学会では日本で青銅器の製造が始まったのは、弥生時代前期初頭（紀元前四世紀頃）とされています。そしてその技術は朝鮮半島から伝来したものであったのだといいます（我が国における青銅器の初出は、山形県遊佐町の三崎山遺跡から発掘された、長さ二十六センチの青銅刀子（せいどうとうす）です。この刀は中国から渡来した日本最古の青銅刀子と言われています）。

朝鮮半島での青銅器製造は三千三百年前頃から始まったとされています。これは中国東北部の遼寧省や吉林省を中心に広がる紅山文化の影響を受けて、朝鮮半島北部を中心に青銅器文化が発展したことによるとされます。

中国での最古の青銅器は、甘粛省の馬家窯文化に属する斉家文化の銅嶺遺址から出土した銅嶺大鼎（どうりょうだいてい）で、四千七百年前の製造と考えられています。

西洋での青銅器は、六千年前に、バルカン半島のあたりで製造されるようになり、それまでの石器や骨角器に代わって、武器や工具、装飾品などに広く用いられるようになったとされます。

要するに、世界ではおよそ六千年前から青銅器が製造されるようになり、この影響を受けて中国でも朝鮮半島でも後に青銅器が用いられるようになったというわけです。
ところが、これら遺跡からの発掘物は、いずれも形が整い、精巧な形をした物品です。普通に考えて、最初からそのような精巧な細工物など出来るはずもありません。むしろ、偶然の産物によって人が青銅を手に入れ、これを型に嵌(は)めて色々と工夫を凝らすうちに、徐々に精巧な道具となって進化していったと考えるのが普通です。

そしてこのように考えたとき、日本で一万六千五百年前には土器が製造されており、かつ八千年前頃には一一〇〇℃の熱をカマで得ることができていたという客観的事実から、おそらく八千年前頃には、青銅器の製造が我が国でも始まっていたと考えたほうが、正解に思えるのです。

その後七千三百年前には、アカホヤの破局噴火があり、日本人たちは世界に向けて散っていきました。けれど祖国というのは、どこか恋しいものですし、行くことができたのなら、帰ることもできたわけです。なにしろ当時の倭人には葦船(あしぶね)があったからです。

そして八千年前にはカマの進化から青銅器が製造されるようになったとすれば、その技術が、大噴火の際にそれぞれが散った先に伝播していったとしても、何の不思議もないのです。

さらにカマは進化していきます。石で周りを囲むのではなく、斜面にトンネルを掘り、そのトンネルをそのままカマにしてしまう動きが始まります。そうすることによってカマの中で一度に多数の土器を同時に焼くことができるからです。土器の大量生産ができるようになってくると、同じような土器をただいくつも作るのではなく、もっと凝った面白い形の土器を作ろうという動きが始まります。こうして火焔土器のように非常に造形の凝った縄文土器が誕生していきます。

鉄器の時代の始まり

ところが、ここで面白いことが起こります。大きな洞穴で、つまり大きな窯で土器を焼くようになると、窯が広いのでその広い窯の中でたくさんの薪（たきぎ）を燃やすようになるのですが、この薪の燃えカスとなった炭が実はまだまだ燃えるから再利用しようじゃないかということが始まるのです。

そして面白いことに、木を燃やしても最高で一一〇〇℃の温度しか得ることができませんが、炭を燃やした場合、そこにフーフーと息を吹きかけて炭を真っ赤に怒らせると、燃焼温度は約一五〇〇℃から二五〇〇℃にまで上がるのです。

そしてこれだけの温度を得ることができるようになると、窯の中に鉄鉱石があれば、そこから鉄が流れ出して、窯の底に溜まります。これを型に流し込めば、そのまま鉄器が出来上がるのです。

鉄器は青銅器よりもはるかに硬くて丈夫です。もちろん木材とは比べ物になりません。そこで私たちの祖先は、そうしてできた鉄器を用いて、鍬（くわ）や鋤（すき）、あるいはツルハシのようなものを作るようになるのです。

この鉄についても、これまでの学会では、弥生時代前期から中期（紀元前四世紀頃）に朝鮮半島から伝わったのが始まりとされてきました。そして弥生時代には、まだ日本では製鉄技術が確立されておらず、鉄製品はすべて朝鮮半島から輸入されていて、日本で鉄器が製造されるようになったのは、それから九百年もあとの、古墳時代中期（五世紀）からのことであるとされてきました。

ところが二〇二〇年に、淡路島の舟木遺跡で、鉄器を生産する鍛冶工房四棟を含む二〇棟の竪穴建物が発見され、さらに魚を突くヤスや釣り針など百七十点を超える鉄器が出土しました。これらはいずれも紀元前三世紀頃のものということが確認されました。さらに福岡県春日市にある赤井手遺跡で発掘された鉄器は、発見当時は紀元前三〇〇年（四世紀）の弥生時代の始期のものとされていたのですが、炭素14年代測定法（C14）で再調査したところ、これら鉄器が作られた時期は、なんと紀元前十世紀（紀元前九四〇年頃）と判明したのです。一方、朝鮮半島には確かな鉄の製錬遺跡が未だに発見されていません。

世界で最古とされる鉄器は、二〇二一年に、イランのシャフリ・ソフタ遺跡で、紀元前三〇〇〇年頃の地層から発掘された鉄製のビーズになります。明らかに人工的に作られた鉄器で、現時点で世界最古の鉄器である可能性が高いとされています。

いずれにせよ、鉄器の製造のためには、一五〇〇℃以上の高温の炉が必要で、その火力が古代においては炭から得られたとするならば、炭を使った炉が必要になります。この点について我が国では、大阪府交野市の星田旭縄文時代住居遺跡から、およそ八千年前の竪穴住居の円形の炉跡から、焼土とともに散乱した木炭片が発見されています。おそらく炭火を使って調理や暖房を行っていた跡だろうといわれています。

また、広島県東広島市にある西ガガラ遺跡からも、およそ八千年前の地床炉が発見されています。地床炉というのは地面を掘って造られた炉のことで、構造は簡素なものですが、ここでも木炭片の散乱が発掘されているのです。

このことと、先ほどのカマの使用がおよそ八千年前には始まっていたことを併せ考えると、我が国ではおよそ六千年前には、炭を用いてカマを焚くことが行われていた可能性があるのです。そしてその方法ならば、鉄を溶解させることが可能になります。

つまり我が国では、青銅器とほぼ同時期に、あるいは青銅器よりも少し遅れて、ほぼ同じ時期から鉄器もまた用いられ始めた可能性があるといえるのです。

青銅器にしても鉄器にしても、我が国ではそれらはずっと農機具として用いられてきた歴史があります。弥生時代になって、大陸との関係から日本人も武装せざるを得なくなって、鉄製の刀剣などが造られるようになるのですが、それ以前では、鉄も青銅も、いずれも土を耕したり、木を伐採したりするためだけに用いられてきたのです。

ところがそんな鉄や青銅器が、大陸に渡ると、それらはすべて武器として用いられるようになりました。そして武装した兵たちに、偉い人が最前線で戦わせるという時代になっていきました。喧嘩するなら自分で喧嘩すればよいのに、自分は怪我をしないように後ろで指揮を執り、喧嘩は他の人々（兵）にやらせるという形が、世界では定着していったのです。

鉄や青銅器を、農機具として用いた日本人、武器に用いた世界の王国。この文化の違いは、極めて大きいものといえます。私たち日本人は、人から奪うのではなく、どこまでも「みんなで働く」ことを大切にしてきた歴史を持つ民族であることを、この事実が示すからです。

3 遣隋使の持つ凄み

遣隋使の記録について考えてみたいと思います。

西暦五八九年、中国は、それまでの内乱状態から一転して、軍事超大国・隋が建国されました。そこで日本は西暦六〇〇年に第一回遣隋使を派遣しています。『隋書』によれば、このときの日本の王は「倭王アマノタラシキコ」と書かれていると学校では教わります。

このアマノタラシヒコは、原文では「倭王、姓阿毎(アマ)、字多利思北孤　号阿輩鶏弥、遣使詣闕」と書かれています。

字義通りに読むなら「倭王、姓はアマ、字(あざな)はタリシキコ。号はアハケミ(大君)。遣使して宮中に詣でた」となります。このときの天皇は推古天皇であり、推古天皇は当時は豊(とよ)御食炊屋姫尊(みけかしきやのひめのみこ)」と呼ばれていて、どう読んでも「タリシキコ」にはなりません。この時代の政治の実権者は聖徳太子でしたが、聖徳太子という名前は後世の創作で、当時聖徳太子が何と呼ばれていたのかは、いまでは不明です。

一般によく言われる「厩戸豊聡耳皇子（うまやとのとよとみみのみこ）」も、ずっと後年の日本書紀にある名前にほかなりません。もしかすると「アマのタリシキコ」とは、「アマ（天）のタイシ（太子）のヒコ（彦）」であり、聖徳太子のことを指したと読むのが妥当そうです。

さて、この第一回遣隋使において、謁見の模様を『隋書』は次のように記述しています。

（隋の）高祖が所司（役人）を通じて倭国の風俗を尋ねさせたところ、使者は、『倭王は天を兄とし、日を弟として、夜明け前に政治を聴き、日が出ると仕事を止めて弟に委ねる』と述べた。

これを聞いて高祖は、倭国の政治のあり方が道理に外れたものだと納得できず、改めるよう訓令した。

（原文）上令所司訪其風俗　使者言　倭王以天為兄以日為弟　天未明時出聴政跏趺坐日出便停理務　云委我弟　高祖曰此太無義理　於是訓令改之

ここでいう「天を兄とし、日を弟とする（以天為兄以日為弟）」というのは、どういうことでしょうか。これは通訳が、日本の使節が話した日本語を当時の中国語に置き換えたものです。つまり同じ言葉でも日本語と中国語では意味が異なることがあることに注意が必要です。

まず「日を弟とする」ですが、この時代の大和言葉では、弟（おと）は、男（おと）であり、夫（おと）でもあります。そして「天を兄とする」もまた、兄は豈（あに）であり、よろこびあふれる楽しい国を意味します。そうであれば、このときの日本側の使節の言葉は、

我が国では、天のもとよろこびあふれる楽しい国（豈）を築くために、夜明け前に神々にお伺いを立て、夜が明けると、政治を夫（または弟＝身内）に委（ゆだ）ねています。

といった意味と受け取ることができます。

卑弥呼の時代もそうですが、もともと縄文以来、我が国では女性だけが神と直接繋がることができる特権を有していると考えられてきました。第三十八代天智天皇以降の歴代天皇は、天皇ご自身が国家最高権威となられ、政治権力はその下の、たとえば摂政関白や太政大臣に委ねるという形になりますが、それ以前の天皇は、初代神武天皇から、第三十二代崇峻天皇の時代まで、天皇ご自身が国家最高権力者です。

ということは神話に鑑みて、天皇が政務を執るにあたっては、別に直接神と繋がる（天皇よりも上位の）国家最高権威が必要であったわけで、おそらくそれは女性である皇后陛下のお役目であったものと推察されます。つまり皇后陛下が夜明け前に神々に祈りを捧げて天の後意思を伺い、これを受けて夫である天皇が政務を司る、そのような仕組みになっていたであろうと考えられるのです。

ところが推古天皇の前の天皇であられる崇峻天皇が日本史の中で唯一、臣下によって暗殺されてしまいます。当時の風潮は、天皇になれば殺される。ですからどうしても次の天皇のなり手がいない、という状況になりました。誰に言っても、天皇の位の有資格者は、誰も天皇になってくれないのです。けれど天皇不在というのは、これまた大きな問題です。

そこで天皇を二代さかのぼった第三十代敏達天皇の皇后陛下であり、第二十九代欽明天皇の娘である推古天皇に皇位白羽の矢が立つことになりました。こうして我が国最初の女性天皇が誕生します。

けれど亡くなった夫である敏達天皇御在位のときに、推古天皇は皇后として、そして神に仕える女性として夜明け前に神事を行うことしかしていません。

「政治向きのことはわからぬぞえ」

ということになって、政治は推古天皇の甥である聖徳太子が全権を担うようになったわけです。そして実はここから、天皇ご自身が事実上の政治権力者の立場から、ひとつ上の国家最高権威となる道が開かれていきます。

つまり推古天皇の時代には、女性の天皇であられる推古天皇が神々と繋がる国家最高権威となり、その下にあって政治権力の最高責任者が聖徳太子となっていたわけです。

すると第一回遣隋使の際の日本からの使節の言葉は、

「夜明け前に推古天皇が神々と繋がり、夜が明けると、政務を甥の聖徳太子に委ねている」

と理解することができるのです。このとき隋側の通訳が、甥を弟と訳し間違えたとしても、隋にはそのような習慣はないのですから、これは無理からぬことといえます。

要するに、卑弥呼の時代から、我が国では国家最高の存在は神々と直接繋がる女性であり、責任を生じる政治権力の行使は、その下にある男性が務めるという形が出来上がっていたと考えられるのです。

このように考えると、隋の皇帝は「高祖は、倭国の政治のあり方が道理に外れたものだと納得できず、改めるよう訓令した」とのことですが、当時の日本としては、さぞかし迷惑なことであったでしょう。

遣隋使は続けて六〇七年に第二回が派遣されています。小野妹子が隋の煬帝に、

「日出処の天子、書を日没する処の天子に致す。恙無きや」

（原文：日出處天子致書日沒處天子無恙云云）

との国書を渡し、これを聞いた煬帝が真っ赤になって怒ったという事件です。

このときの国書について、「これは必ずしも隋の煬帝を下に見たわけではなく、日が昇る、日が没するというのは等しく起こることだから、あくまでも対等を宣言しただけである」とおっしゃる先生もおいでになります。

けれども普通に文章を読めば、「日が昇る勢いのある天子が、日が没する（もうお終いの）国の王に、いよっ！　元気かい？」と述べているようにしか見えません。

事実『随書』によれば、この国書を受け取ったときに隋の煬帝は烈火の如く怒ったと記されているのです。『隋書』には、

「東の海に浮かぶちっぽけな国の王は朕の家来である。無礼な言葉は許せん」

と怒ったとあります。

原文は「帝覧之不悦謂鴻臚卿曰蠻夷書有無禮者勿復以聞」で、読み下せば「帝はこれを覧じて悦ばず（つまり国書を読んで喜ばず）。鴻臚卿に謂ひて曰はく、蛮夷の書、無礼有るは復以って聞する勿かれ（蛮族の書で、このような無礼がある書は、二度とワシに聞かせるな！）と述べた」とあります。

不思議なことに、このあと、同じ年の間に煬帝は裴世清を使者として、わざわざ日本を

訪問させているのです。

これは不思議なことです。蛮夷だというのなら、わざわざ高官を使節として送る必要などないからです。これについて、学者の先生によっては、倭人が礼をわきまえないから、礼節を教えるために裴世清を派遣したのだといいます。けれど、どうしてわざわざ蛮族のために人を派遣する必要があったのでしょうか。

そもそも煬帝がそれほどまでに激怒したのなら、普通に考えれば宮中で「その者を捕らえよ！」となります。小野妹子は捕らえられ、拷問の末、殺されていたのかもしれません。普通に考えたら、やっぱり流れがおかしいのです。

隋の皇帝は政治権力者です。物凄い権力を持っています。そして、そんな皇帝の所に、あんたはもうお終わりだよといったような国書を持ってきたということになれば、隋の煬帝が激怒するのは当然だし、小野妹子が無事であるはずはないし、裴世清が使節として派遣されることもないのです。もし、皆さんが隋の煬帝の立場でいたとしたら、怒ったら次に何をされるでしょうか。おそらく、目の前にいる小野妹子を指差して、

「この者を即刻捕まえよ。表に放り出せ」

あるいは、

「即刻捕まえて、表で首を刎ねよ」

このように命ずるのではないでしょうか。そしてもしそのような展開であれば、皇帝の命令一下、宮中の武官が小野妹子の周りにバタバタと駆け寄って、その場で小野妹子を捕縛することになります。

ところが、そうはならなかった。皇帝が激怒したにもかかわらず、小野妹子は逮捕すらされなかった。何故でしょうか。それは、倭国、当時の日本の国力が強かったからでしょうか。でも、隋の煬帝はこの段階で正に日の出の勢いにあるのです。では宮中で何が起こったのでしょうか。

当時、遣隋使の使節に選ばれる人というのは、これは遣唐使も同じなのですが、まず学問ができること（当然です）、イケメンであること（日本人がバカにされないため）、背が高いこと（当時、日本人は背が低いといわれていました）、武芸の達人であることが、使節に選ばれる条件でした。背が高くてイケメンで学問ができて武芸の達人でなければ、使節に選ばれなかったのです。

その武芸ですが、かなり古い時代から様々に研究されていて、神話にも、触れば触った所が氷の刃になってしまったなんて記述があるくらい、不思議と言えるような技が繰り広げられるのが我が国の武芸の特徴です。

これは実際に古武術をしている先生の所に行って、取材をさせていただいた時のことです。筆者も少々腕力に自信があって、その先生の胴着の肩口を掴んでグッと引き寄せさせていただきました。普通だったら、相手はそのまま引き寄せられます。ところが引き寄せたと思った瞬間、気が付いたら筆者は一メートルくらい後ろに飛ばされてひっくり返っていたのです。何が起こったかわからない。

「え、どうしてひっくり返ってるの、何が起こったの」

先生は先生で、

「あ、すいません、すいません」

と、逆に恐縮されてしまったくらい、何が起こったかわからないうちに、吹っ飛ばされていたのです。これはYouTubeの動画にもなっていますので、ご覧になった方もおいでになるかと思います。すべて事実です。


日本の古武術は、投げられた人がどうやって投げられたのかわからない。気が付いたら皆倒れている。しかも、複数の人が同時に倒されてしまうなんていうことが起こる、とても不思議な体術です。これが日本古来の古武術の特徴です。


ここからは想像です。

おそらく隋の煬帝は、激怒して小野妹子を逮捕せよと命じたのです。命じられた宮中官吏が小野妹子の許に四～五人で一斉に飛び掛かったけれど、飛び掛かったと思った瞬間、その飛び掛かった官吏たちが皆床にひっくり返って、きょとんとした表情をしていたのではないでしょうか。

そんな様子を目の前で見せられたら、皇帝でなくても、びっくりして激怒を忘れて、「何が起こった、一体どうしたのだ」と目を丸くします。

そうなると、怒りよりも、むしろ興味が増してきます。

実際には、このような出来事があったのではないでしょうか。

そうであれば、その年のうちに裴世清が日本に送り込まれたということも、納得できる流れになるのです。


第三回の遣隋使は、これは翌西暦六〇八年に行われたものですが、ここでは前の時に大変勇敢で、武術の達人という事が認められた小野妹子が再度大使として派遣されています。

もしかしたら煬帝に指名されたのかもしれない。

このときには小野妹子は堂々と、

「東の天皇、敬（つつし）みて西の皇帝に白（もう）す」

という国書を渡しています。

これが対外文書で「天皇」という言葉が使われた初出になります。

文意は「隋のお偉いさん、あんたが皇帝というならば、俺(おい)らっちの国は天皇だぞ」というものです。


ちなみに日本という国号の初出は西暦七〇一年（大宝元年）になります。

この年「大宝律令」が制定され、その中の詔書式条に、海外諸国へ出す文書の様式として、

「明神御宇日本天皇詔旨（あらひとかみと　あめのしたしらす　ひのもとの　すめらみことのみことのり）」

が定められました。つまり初出は、天皇が六〇八年、日本が七〇一年です。天皇という称号は日本という国の名前よりも古い歴史を持っているのです。


こうして日本は、当時における超軍事大国といえる隋との間で対等な関係を築いていきました。隋が滅んだ後も、唐の国との間で日本は対等な関係を維持しました。よその国に

ひたすら頭を下げて、よその国のＡＴＭになるのではなく、どの国とも対等な関係を築いていく。私たちの祖先は、そうやって日本を護ってきたのです。

その知恵と勇気を、私たちもしっかりと取り戻していきたいものです。

◇◇◇

【コラム】豆腐の歴史の怪

先日ネットを見ていたら、日本のお豆腐は、中国生まれで、中国から渡来したと書かれている記事を見て、びっくりしました。豆腐のもとになった食品が、中国奥地の「腐乳」で、これが日本に伝わって豆腐になったのだそうです。

しかしちょっと考えたらわかることですが、豆腐を作るのには「にがり」が必要です。その「にがり」とは海水から天日干しで塩を得るときに、まだ湿気ている塩から滴るマグネシウムを大量に含む水のことです。つまり「にがり」は海に面して塩田のあるところでしか採ることができません。

つまり豆腐が生まれるためには、大豆と塩田の両方が揃っていなければならないのです。それが海水も塩田もない中国の内陸部で豆腐が生まれた？　常識で考えてありえないことです。

同様に寿司といえば、日本の伝統食品ですが、その寿司さえも、学者さんによれば「発祥はタイの北部から中国雲南省にかけての地域で、弥生時代に稲作が中国から伝わったのと同じルートで日本にもたらされた」のだそうです。

現代のいわゆる江戸前寿司は、江戸時代に酢飯が開発されることで握られるようになった比較的新しい文化ですが、寿司の名の由来となったのが「なれ寿司」です。

「なれ寿司」というのは、魚を米飯でくるんで発酵させた食品で、昔は魚の長期保存のために作られていました。日本のように高温多湿の国では、食材がいたみやすいので、いざというときのために食品を長期保存することは、死活問題ともいえることだったのです。とりわけ大昔の縄文時代には、貝塚があることが示すように、多くの人が海沿いの村で暮らしていました。その海が、台風の影響などで時化（しけ）ると、何日も漁に出ることができなくなったりもしたのです。日本に稲作が普及したのも、まさにこうしたときの保存食として、必要だったことからで、お米は玄米の状態なら、常温で20年経っても食べることができるのです。冷蔵庫のなかった時代に、これがどれだけ貴重なことであったのかわかろうというものです。

「なれ寿司」のような発酵食品が日本で開発され普及したのも、日本が高温多湿で食料保存がむつかしい国であることに由来します。その一方で、私たちの祖先は、逆に高温多湿であることを利用して、食料を長期保存できるように工夫したのです。

それが発酵食品です。その発酵食品の、いわば代表格が「なれ寿司」です。

ところが本当に近年、頭がどうかしているのかと思うのですが、そんな「なれ寿司」さえも、

「もともとの発祥はタイの北部から中国雲南省にかけての地域で、弥生時代に稲作が中国から伝わったのと同じルートでもたらされた」というのが学者さんの説です。

ちょっと考えたらわかることですが、タイの北部は山岳地帯です。そこでどうして海魚が常備食になるのでしょうか。

人は、身近なものを工夫して、文明を築くものです。ないものはない、のです。ないもので新製品を作ることはできません。なんでもかんでも中国渡来と考えることは、もういい加減にしてもらいたいものだと思います。

第4章

希望ある日本を取り戻す

1　神話が目指した日本の姿

日本では昭和二十年にGHQが神話教育の停止を命じて以降、いまだに日本神話を学校教育に活かすことが行われていませんが、その禁止した側の米国では、日本の神話を中学校の教科書で教えています。引用してみます。


【神々の国】land of the gods japan
日本の子供は、学校で次のように学んでいる。

イザナギという権威ある神が、その妻イザナミとともに「天の浮橋（Floating Bridge of Heaven）」の上に立った。

イザナギは、眼下に横たわる海面を見おろした。

やがて彼は暗い海の中に、宝石をちりばめた槍をおろした。その槍をひき戻すと、槍の先から汐のしずくが落ちた。しずくが落ちると、次々に固まって、島となった。

このようにして日本誕生の伝説が生まれた。

　またこの伝説によると、イザナギは多くの神々を生んだ。そのなかのひとりに太陽の女神があった。

　女神は孫のニニギノミコトを地上に降り立たせ、新しい国土を統治することを命じた。

　ニニギノミコトは大きな勾玉と、神聖な剣と、青銅の鏡の三つを持って、九州に来た。これらはすべて、彼の祖母から贈られたものであった。これら三つの品物は、今日もなお、天皇の地位の象徴となっている。

　ニニギノミコトにはジンムという孫があって、この孫が日本の初代の統治者となった。それはキリスト紀元前六六〇年二月十一日のことであった。

　何百年もの間、日本人はこの神話を語り継いできた。この神話は、日本人もその統治者も、国土も、神々の御心によって造られたということの証明に使われた。

　現在のヒロヒト天皇は、ジンム天皇の直系（Direct line）で、第百二十四代にあたるといわれる。

　かくして日本の王朝は、世界でもっとも古い王朝（dynasty）となっている。

これは米国の教科書会社であるアライン・ベーコン社の中学教科書からの引用です。引用した教科書が一九七八年版であるため、天皇は第百二十四代の昭和天皇になっています。この教科書は現在でも使われ、天皇のところは、もちろん第百二十六代の今上陛下になっています。つまり米国では、日本の神話がちゃんと義務教育で教えられているわけです。それが日本では教えられないというのは、たいへんにもったいないことであると思います。

さて、右の文のなかに、「女神は孫のニニギノミコトを地上に降り立たせ、新しい国土を統治することを命じた」という文があります。もちろん女神というのは天照大御神のことです。そしてこのとき天照大御神は、いよいよこれから地上に降臨しようとされているニニギに、「(地上においては)高天原と同じ統治をせよ」と述べられたというのが、日本の神話です。

高天原というのは、八百万の神々の国です。そこにおわすのは、全員が神様です。つまり我が国の神話は、この地上における一般の民衆を、全員、神として扱え！と教えているのです。そうであれば、自分も神、周囲のみんなも神です。当然に互いの尊厳を認め合わなければならないし、また権力を持つ人たちも、その下にある民衆はひとりひとりが神なのですから、神からの収奪などは、まったくもって許されない蛮行ということになります。

その高天原における最高神は、もちろん天照大御神ですが、ある事件を通して高天原では、政治権力は八百万の神々の合意によって行われることになりました。その事件というのが天の岩戸の事件です。

この頃、高天原にやってきたスサノオが、八百万の神々が耕作している田んぼの畦（あぜ）を壊したり、新しく建てたばかりの神殿にクソをしたりなどの乱行を働いたのです。このとき八百万の神々は、天照大御神に「壊されました、汚されました、なんとかしてください」と天照大御神にすがりつきました。けれど天照大御神は何もしてくれません。そのうちスサノオが機織り所に裸馬を天井から投げ込んだことで怪我人まで出る始末となりました。そしてこのとき天照大御神は、岩戸を閉めてお隠れになったとあります。この岩戸隠れについて、古事記は天照大御神が「見て畏て」と描写し、日本書紀は「慍られて」と描写しています。

「見て畏て」というのは、祝詞に「かしこみ、かしこみまをす」という言葉があるように、天照大御神がスサノオの行状に「感謝して」岩戸にお隠れになったという意味です。「慍られて」というのは、怒鳴ったりプンプン怒ることではなくて、心に何かを秘められて、といった意味になります。

スサノオは、高天原で悪行を働いたのです。にもかかわらず、どうしてその行為に「感謝」したり、「心に何事かを秘められる」ということになるのでしょうか。ここに大事な概念が隠されています。

スサノオはイザナギ大神が産んだ三貴神のひとりであり、天照大御神の実弟です。ちなみに神話の解釈として、ホツマツタヱなどでは、違った描写がされているということで、記紀の記述を否定される方もおいでになりますが、書かれたものというのは、それぞれ特定の意図をもって書かれています。ですからホツマにはホツマの、竹内文書や九鬼文書、宮下文書などには、それぞれに書かれた目的があるものです。当然、古事記や日本書紀にも書かれた目的があります。タイムマシンが発明されるまで、私たちは過去の真実を直接見てくることができないのですから、まず必要なことは、その文書のその項目が「何を伝えようとしているのか」をしっかり読み取ることではないかと思います。

さて、そんな貴神であるスサノオが、高天原で大暴れしたわけです。そしてそれに対する八百万の神々の反応は、「天照大御神様、なんとかしてください」です。けれど現実問題として、田んぼの畦を壊されたり、新築の神殿を建て直すことになって困るのは、八百万の神々たち自身です。そうであれば、問題が発生したら、天照大御神に解決を依頼するのではなく、本来、八百万の神々が、その解決のために努力すべきことです。

早い話、企業の現場の営業店にお客様がクレームを言ってきたからといって、東京の本社にいる社長が、毎回、全店舗に出向いて、その解決を図るのでしょうか。問題が起これば、その当事者となった人たちが解決のための努力をするのがあたりまえのことです。実際、天照大御神が岩戸にお隠れになってしまったら、この世から太陽が消えてしまったのです。高天原も地上界も真っ暗闇となり、そこは「狭蠅那須満（さばえなすみち）、万妖悉発（まんようことごとくはつ）」という状況になりました。

天照大御神は、最高の存在です。その最高の存在に、現場で起きた細かな事件までいちいち解決を依頼すること自体間違っているのです。それによって天照大御神に万一のことがあれば、この世は真っ暗闇になるのです。

岩戸事件のあと、八百万の神々は、自分たちの問題は、自分たちで解決をしていくようになります。つまり自分たちで政治を始めたのです。政治は、人に何かを働きかけるものです。そうであれば、そこには当然、責任が生じます。その責任を天照大御神に押し付けるわけにはいかない。だから政治と責任は、その当事者にとってセットです。

では、天照大御神は、何もしないということでしょうか。そうではありません。高天原で起きているすべてのことを、最高のご存在として、すべてお知りにならなければなりません。これが「知らす」の意味です。すべてをお知りになる最高の存在のもとで、自分たちで責任をもって政治を行う。このことを神話は教えているのです。

その高天原の統治と同じ統治を求められたのが、地上の国である日本の統治の形です。世界では、国家最高の存在は国家最高権力者ですが、日本では神話に依拠して、国家最高の存在は国家最高権威なのです。そしてそうなることで、その下にある権力者は、最高の存在ではないのですから、当然に権力と責任を同時に請け負うことになります。つまり政治に責任が生じるのです。

これはとても大切な概念です。そして世界が歴史を通じて実現できなかった、権力と責任を等しい関係にするという国の根幹の形になります。これを上古の昔に、日本では、あたりまえの形にしたのです。凄いことだと思います。

2 日本の建国精神

どこのどんな国でも、そこに国がある以上、必ず建国されたときと、建国の理念があります。建国の理念はしばしば建国宣言とも呼ばれます。

ですから、世界中どこの国でも、自国の建国の日と建国宣言を子供たちに教えます。それがそのまま国家運営の基礎となり、国民としての精神、つまりその国のアイデンティティとなるからです。

けれど残念ながら、世界にただ一国、その建国の日も、建国宣言も教えていない国があります。ただの一国です。それが日本です。

日本は、いつ出来た国であるのかについては、第1章のネイションとステイトの節でご案内しました。日本を歴史・伝統・文化に基づくネイションと考えたときには、日本の建国は神武創業にさかのぼります。一方、政治機構としての戦後日本、つまりステイトをいうなら、日本の建国は昭和二十年八月十五日の終戦の日になります。

戦後の学校では、日本国憲法の前文は教えることがありますが、神武創業の際の『建国の詔』はまったく教えられていません。つまり日本は、戦後の政治組織としてのステイトしか教えていないということになります。日本国憲法が施行されたのは、一九四七年（昭和二十二年）五月三日のことです。ここから五月三日は憲法記念日ということで祝日となっていますが、この日を建国の日とは言いません。それにこの日は、昭和二十年八月から、すでに二年も経過していますし、このときの日本は「日本国」でもなければ「大日本帝国」でもありません。「占領統治領日本」が当時の日本の名前であり、状態です。占領統治領であるということは、当時の日本の統治者は占領軍であり、ＧＨＱです。ＧＨＱは、General Headquarters, the Supreme Commander for the Allied Powers」の略称で、直訳すれば「連合国軍の最高司令官の本部」となります。日本はそこに統治されていたのです。

従って、その下にある日本国憲法は、英文では「THE CONSTITUTION OF JAPAN」

ですが、その意味は、連合国軍が日本を占領統治するにあたって、統治される側の日本の体制や、占領民の権利義務等を定めたものということになります。つまり「THE CONSTITUTION OF JAPAN」は、占領軍による日本人服務規定だということです。

ところが困ったことに、昭和二十七年に日本が平和条約締結によって主権を回復してのちも、この「THE CONSTITUTION OF JAPAN」がそのまま据え置かれています。この規定は、いわばGHQが社長、日本の政治組織が課長会といった形での規定ですから、昭和二十七年以降の日本は、社長不在のまま、課長会だけで会社を運営するような形になっているわけです。

課長は、担当セクション内においては職務分掌に従った権限を持ちます。けれど課を横断するような全体的意思決定は、社長がいなければ何も行うことはできません。それでも戦後の日本が、国土を復興させ、高度成長を成し遂げることができたのは、戦前戦中までの日本の教育が素晴らしかったことと、国民が一生懸命に頑張ったからで、この戦後復興期から高度経済成長期にかけて、いわゆる政治的なものは、電車が止まるストライキや、民間への政治介入があったくらいで、いずれも国民生活からみたら、極めて不愉快なものでしかありません。また戦後に国が介入した案件で、国民生活にとって良かったことも、はっきりいって何ひとつありません。戦後に急成長した産業として自動車や家電がありますが、産業界にとっては、いかにして国家の介入を阻止するかが最大の課題であったし、家電業界は、ついに政治の介入を許してしまったがために、日本を代表する大手企業が、いずれも外国企業に乗っ取られてしまうという始末です。これには異論反論もあろうかと思いますが、大多数の、当時を知る方々にとっては、事実としてご納得いただけることであろうと思います。

要するに国というものは、その歴史・伝統・文化に根ざした国民の国民による国民のための政治が必要なのであって、その原点となるものが、建国精神ということになります。では、日本というネイションにとっての建国精神とは、どのようなものであったのでしょうか。

このことについては、同じく青林堂から出されている『日本建国史』にも書かせていただきましたが、大事なことですので、本書にも書かせていただきます。大事なことは何度でも、が原則だからです。

我が国の建国精神

日本の建国宣言は、『建国の詔（みことのり）』といいます。日本書紀にあり、原文は以下の通りです。

自我東征於茲六年矣頼以皇天之威凶徒就戮雖邊土未清余妖尚梗而中洲之地無復風塵誠宜恢廓皇都規摹大壮而今運屬屯蒙民心朴素巣棲穴住習俗惟常夫大人立制義必隨時苟有利民何妨聖造且當披拂山林經營宮室而恭臨宝位以鎭元元上則答乾霊授国之徳下則弘皇孫養正之心然後兼六合以開都掩八紘而為宇不亦可乎観夫畝傍山東南橿原地者蓋国之墺区乎可治之

文字にしたら、たったこれだけ。わずか一五七文字です。

『建国の詔』が発せられたのが、皇紀元年元日であり、これは新暦に直すと紀元前六六〇年二月十一日になります。西暦二〇二五年は、皇紀二六八五年にあたります。二〇四〇年には皇紀二七〇〇年を迎えます。

では『建国の詔』の中身を見てみましょう。古語というのは、七五読みをすると非常にわかりやすくなります。すると以下のようになります。

建国の詔

われひむかしを　うちてより　自我東征
ここにむとせに　なりにたり　於茲六年矣
すめらきあめの　いをたのみ　頼以皇天之威
あたうつために　おもむかむ　凶徒就戮

ほとりのくには　きよまらず　雖辺土未清
のこるわざわひ　ふさげども　余妖尚梗
うちつくにには　さわぎなし　而中洲之地無復風塵
まごころこめて　おほいなる　誠宜恢廓皇都
ひらきひろめる　みやこをつくる　規摹大壮

いまはこびたる　わかきくら　而今運屬屯蒙
たみのこころは　すなほにて　民心朴素
あなをすとして　すむあるも　巣棲穴住習俗惟常
ひじりののりを　そこにたて　夫大人立制
つねにことわり　したがへば　義必随時
いみじきたみに　りのあるに　苟有利民
ひじりのわざに　さまたげもなし　何妨聖造

やまやはやしを　はらひては　且當披拂山林
みややむろやを　をさめつつ　経営宮室
たからのくらひ　つつしみて　而恭臨宝位
おほきもとひを　もってしずまん　以鎮元元

かみはすなはち　そらのかみ　上則答乾霊
さずけたまひし　とくのくに　授国之徳
しもにやしなふ　すめみまの　下則弘皇孫
ただしきこころ　やしなはむ　養正之心

しかるのちには　むつあわせ　然後兼六合
みやこひらきて　はちこうを　以開都掩八紘
おほひていへと　なしゆかむ　而為宇
またよからずや　それみるは　不亦可乎観夫

うねひのやまの　たつみかた　畝傍山東南
かしはらのちは　くにのなか　橿原地者蓋国之墺区乎
このちにおひて　くにしらしまむ　可治之

現代語訳すると次のようになります。

朕が東に向かって正しきを行おうとして宮崎を出発してから、はや六年になる。天照大御神様の御威光を頼みとして、悪い奴らを討つためにこうして畿内までやってきた。まだまだ朕の威光の及ばぬ先は清まっていないし、様々な問題はあるけれど、朕の目の届く限りの国においては、最早騒ぎはない。そこで真心を込めて大いなるひらき広める「みやこ」を造ろう。

その「みやこ」に、いま若者たちが米を運び込んでくれている。民の心は皆素直だ。まだまだ竪穴式住居に住み、稲作をしない人たちもいるけれど、大人の制度（ひじりののり）をそこに打ち立て、常に理（ことわり）に従っていけば、そもそも民衆にとって利があることなのだから、そうした聖なる働きに、妨げなどあろうはずもない。

さあ、皆で山や林を切り開いて、米倉や、その他の食べ物を保管する室屋を経営していこう。朕はそのために宝の位（皇位）にのぼり、もともと大切なことを根本に国を鎮めて行こう。我が国は、天の神々から授かった「徳」の国なのだ。だから皆と正しい心を養っていこう。

そうして東西南北の四方と、天地の二方を合わせた六合に、「みやこ」を開こう。そして四方八方を覆う大きな屋根のもとで、皆で家族となっていくことこそ、良いことだ。畝傍山の東南にある橿原の地は、国のちょうど真ん中にあたる。この地で、国を知らしめて行こう。

文中にある「みやこ」というのは、いまでいう「都」のことではありません。日本語はもともと一字一音一義ですから、「み」大切な、「や」屋根のある、「こ」米倉、つまり「たいせつな米倉」のことを言います。冷蔵庫のなかった時代において、常温で十年二十年と長期の備蓄ができるお米は、災害の多発する日本において、どれだけ貴重なことか。

人の力で災害を防ぐことはできません。けれど人の力で、どんな災害がやってきても、とにもかくにも生き残りさえすれば、必ず復興を遂げることができます。そのためには食べ物の確保がもっとも大切なことです。だから稲作を奨励し、お米を備蓄したのです。

このお米を中心とした仕組みは、ほんの百五十年前の幕末まで、日本ではあたりまえでした。なぜなら、いざというとき、お米は食べることができますが、お金は食べることができないからです。そして昭和四十四年（一九六九年）までは、日本では常時一年分のお米の備蓄が常識として国で行われてきたのです。ところが現代では、食料はことごとく外国からの輸入に頼っています。

食料自給については、カロリーベースで三十七パーセントの自給率があるというのが農水省の見解です。もし第三次世界大戦が起こって世界の物流が停止すると、日本人一億二千万人のうち、七千二百万人が餓死するという試算もあります。日本は人口の六割を餓死させることになります。これは世界全体の餓死者の三割にあたります。日本が特別に食料自給率が低いからです。

なるほどお野菜の八十パーセントは国内生産です。けれど種子の九十パーセントは海外からの輸入です。化学肥料原料となるリン、カリウムは百パーセント輸入に頼っています。尿素も九十六パーセントが輸入です。種子と肥料の輸入が停まると、お野菜の自給率は四パーセントにまで下がるのです。つまり日本人は数百万人しか生き残ることができない状況になる可能性が否定できないのです。

これに対し現在の日本政府は、いざというときにはイモを植えよ、コオロギを食えという他に手段を持ちません。これが日本の建国の精神を忘れた戦後ステイトの有様です。私たちはいまこそ、改めて日本建国の理念に立ち返るべきときに来ているといえるのではないでしょうか。

「四方八方を覆う大きな屋根のもとで、みんなで家族となっていく」ということは、原文では「八紘　而為宇」です。これがいわゆる「八紘一宇」です。「八紘一宇」というと、あたかも軍国主義の象徴のような言い方をされる方々がおいでになりますが、お米をつくり平素からそのお米を備蓄して、災害時にはみんなで助け合って生きて行こうということの言葉のどこがどう軍国主義になるのか理解に苦しみます。日本は天然の災害が多発する国なのです。国というのは、本来国民の共同体であり、ひとりひとりや、世帯単位、あるいは市町村では対応しきれないような大きな緊急の事態になったときのために存在する機構です。誰もが平和で豊かに平穏に暮らしていけるのなら、そもそも国などというもの自体が必要ないのです。けれど災害があったり、戦乱が起きたり、悪党が現れたりすることがあるから、人々は国という共同体を運営しています。その意味では緊急時に役に立たないようなら、そもそも国自体が必要ないとさえ（いささか極端ですが）いえるのです。

日本建国の理念は、まさにそうした緊急時に日頃から、国民みんなで備えることを述べています。これこそが国家というものの最大の存在価値といえます。そういうことを、子供のうちからしっかりと教育していくことの、どこがどう問題なのでしょうか。

　戦前戦中まで、我が国の自慢は、納税期間中に税の滞納をする人がまったくいなかった、ということでした。このことは戦時中の教科書にも書かれていることです。どうして税の滞納をする人がいなかったのか。その答えは江戸時代までの習慣によります。江戸時代まで、税の支払いは主にお米でした。今年収穫したお米は村に半分とっておき、残りの半分をお上に納めたのです。重税？　とんでもない。いざ災害となれば、お上は災害支援のために、年貢として集めたお米を被災地に還元したのです。日本は災害が多いから、おかげで江戸時代初期にはみんな豊かだった全国のお大名は、幕末頃にはどこもみんな借金まみれになっていました。災害時に供出するお蔵米が足りなければ、借金までしてお米を調達していたからです。このことを明治以降の日本の政府は忘れました。代わりに西洋の文化が素晴らしいと欧風化を推進しました。けれど滅多に地震が起きず、台風が毎年やってくることもないヨーロッパと日本では、その国土の傾向性がまるで違います。このことに、いまだに気付かないというのなら、日本の政治はどうかしています。

3　信長と専業兵士たち

織田信長といえば、戦後はずっとワンマン社長の代名詞のように言われてきました。「泣かぬなら殺してしまえホトトギス」の川柳は、信長の性格を表す歌としていまも多くの人に知られています。けれど信長をあたかも暴君のような人物に仕立てたのは、そのあとの時代を担った秀吉だと言われています。実際の信長は、心優しく、部下への面倒見の良い、人柄の良い人物であったというのです。

少年期の信長は、吉法師と呼ばれ、半袴の腰に火打ち石など様々なものをぶらさげ、縄の帯に朱鞘の太刀を差し、馬上で柿をかじり、餅をほおばるなど、いわゆる奇行の目立つ少年でした。ここから信長は「尾張の大うつけ」と呼ばれ、その噂は領内のみならず、近隣諸国まで広がっていたといわれています。

ところがそんな少年時代の信長も、少し深く考えてみれば、まったく違った人物像が浮かび上がります。実父の信秀は守護大名である斯波氏の配下で、尾張を差配する奉行のひとりでした。たいへんに有能な人物で、駿河の今川義元や美濃の斎藤道三とも戦って勝利を収め、家臣からの信頼もとても厚い人物であったと伝えられています。

ちなみにお伊勢様の式年遷宮は、代々国費をもって行われるのが慣わしでしたが、世が戦国となり、足利幕府も超貧乏政権となり、朝廷も資金不足から、式年遷宮は戦国時代、およそ百年にわたって行われていなかったところを、私費でこれを復活させたのが、信長の父の織田信秀です。そんなところからも、たいへんに人望のある人物であったと伝えられています。

ところが時代が下剋上の戦国時代のこと。信秀の親戚が幾度も公然と信秀に反旗を翻しました。信秀は、都度、そうした親戚を兵を出して追い詰めたのですが、相手が降参すると、気持ちよくその裏切った親戚を許したりもしていました。ところが許された相手は、再び三度（みたび）、また信秀を裏切ったりしていたのです。

そうした家に生まれ育った信長は、父の信秀が死ねば、真っ先に命を狙われる立場にあります。そこで信長は、「ボク、バカで～す」といわんばかりの態度を取り続けていたのです。信長の奇行は、天下に鳴り響いていましたから、家中では「親父様の信秀殿は立派な人物であったが、信長の時代になったら、尾張はもうおしまいよ」と噂されていたといいます。信長にしてみれば、まさに「我が意を得たり」であったことでしょう。

そもそも信長の家系である織田家は、もともと律令時代の弾正忠（だんじょうのじょう）の家柄です。弾正というのは、天皇直下にあって、太政官や神祇官など、警察機構の手が及ばない政府高官に不条理な振る舞いがあったとき、一刀両断のもとにその者を斬り捨てて良いという権限を与えられた特別な役職です。弾正のトップは代々御皇族が務めましたが、実際に手を下すのは弾正忠のお役目で、弾正忠はまさに、我が国の正義の最後の砦ともいえる役職であったわけです。

いまでも刑事さんは、その職業意識から、相手がたとえ暴力団の組事務所であったとしても、堂々とその中に割って入ります。まさに職業の誇りがそうさせるのですが、古代から中世にかけての弾正忠もまた、いかなる不正にも断固戦う正義の砦といった意識を強く持っていたとされます。

そんな弾正忠の家が、その後時代とともに越前国織田庄に流れ、そこで劔(つるぎ)神社の宮司をしていたところを、足利幕府の守護大名であった斯波氏に誘われて、同家の家老としての職を得ることになったのです。そして時代が下り、いつしか織田氏は尾張国の奉行を務めるようになっていたのですが、こうした家柄からくる誇りというものは、その人の生き方にまで強く現れるものです。

若き日の信長は「うつけ者」を演じていましたが、父が他界するとすぐに、これまで父を幾度も裏切ってきた親族たちを片端から処罰しに乗り出しています。ところがそんな信長が、まだ尾張の地を十分に固め切っていない時期は、隣国の今川義元にとって、まさに侵略のチャンスとなっていました。

今川家というのは、足利将軍家の親族で、足利家に万一のことがあれば、将軍職を代わることができるとされた家柄です。だから今川家は、駿河・遠江・三河三国、七十七万石の大大名となっていました。ところがこのあたりは地図で見たらわかりますが、現代においても平野部の少ない土地です。とりわけ戦国時代は、いま静岡県の平野になっているところは、おおむね海の底になっていた時代で、このため石高の多くは、山間の平地で営まれる田んぼから得られるものとなっていました。ところがそれら田んぼは、そのほとんどが天皇や貴族の荘園でした。武士というのは、もともと平安時代の新田の開墾百姓のことをいいます。今川家の場合ですと、七十七万石のうち、天皇や貴族の荘園がおよそ七十万石、今川家所有の新田が、その十分の一の七万石程度であったといいます。にもかかわらず、地震や大水などの災害があれば、それら荘園の面倒は、十分の一の石高しかない今川家が、全責任を負わなければならない立場にあったのです。

そこで今川義元は、これでは財政が立ち行かないとばかり、仏僧であった太源雪斎をトレードし、今川家の財政の立て直しを図りました。そして太源雪斎が打ち出した方針が、富士川、安倍川、天竜川の上流から黄金を掘り当てるというものでした。この方針は見事に当たり、今川家は黄金を手に入れることで、家の財政をうるおし、おかげで今川義元は「都ぶり」と呼ばれるほどに、優雅な生活を送れるようになったのです。

けれども、いくら黄金をたくさん持っていても、いざ災害となったら、黄金では食べることができません。やはり水田が欲しい。そこで白羽の矢が立ったのが、まだ「尾張の大うつけ」が家督を相続したばかりの尾張へと攻め込むことであったのです。この時代の尾張は、気象の影響で、広大な平野に見渡すばかりの田んぼが連なる肥沃な土地となっていたからです。

こうしてやってきた今川義元を、信長は奇襲攻撃によって見事に打ち破ります。そしてこの「弾正が立ち上がって、見事戦国大名を討ち滅ぼした」とのウワサは、またたく間に全国に広がりました。

世は、国が荒れた戦国時代です。一日も早く戦国の世を終わらせて、平和な日本を取り戻したい。そう思う草莽の士は、全国にたくさんいたのです。当時の制度では家にいても、長男が家の土地を相続すれば、次男坊以下は殺潰(ごくつぶ)し扱いです。それなら織田弾正信長様のもとに行き、我が国の平和のために働きたい。そう考える若者たちが、桶狭間以降、陸続と信長のもとへとやってくるようになりました。

「家にいて殺潰しになっているよりは、信長様のもとで天下の平和のために働きたい」

当時の習慣は、食客となるには、お米を三合持参するのが常識でした。人が一日に食べる量は二合半です。つまり翌日以降は、信長の側の一方的な出費になります。けれど遠路はるばる信長を慕ってやってくる若者たちを食べさせるのも、信長の分限者(ぶげんしゃ)としての義務とも考えられていたのです。けれどそういった若者たちが、何百何千となってくると、さしもの肥沃な尾張の地を治めているとはいえ、お城のお蔵米は空になってしまいます。そこで信長が資金集めに始めたのが、楽市楽座であったわけです。

この時代の武士というのは、新田の地主たちでしたから、基本的に農繁期には戦はできません。けれど信長は、集まってきた若者たちによって、こうして三百六十五日、二十四時間戦うことができる我が国最初の専業軍団を組織することができたのです。信長の天下布武は、こうして成し遂げられました。

この歴史を振り返るときに大切なことは、信長の天下統一は、単に信長という個性がもたらしただけのものではない、ということです。信長のもとに集った「日本を平和な国にしたい、そのために働きたい」という若者たちひとりひとりの志があって、はじめて信長は他の大名が持たない、強力な軍団を組織することができたし、戦国の世を終わらせることができたのだ、ということです。

現代日本を変えたいと思う人たちは、いまも大勢います。けれど、特別有能な国のリーダーがひとりいたら、それで国が良い方向に向かうというほど、世の中は単純ではないのです。ひとりひとりの国民の志があり、その志の受け皿となる組織が出来上がり、そこに優秀なリーダーがいて、はじめて日本を変えることができる。信長の生涯は、そういうことを私たちに教えてくれているのだと思います。

4　鎖国をすることができた日本の凄み

「鎖国」と聞くと、多くの人が江戸時代の「鎖国」を思い浮かべるようです。けれど日本の歴史を振り返ると、実は「鎖国」と「開国」が交互に起こっています。

古いところでは開国は、推古天皇の頃（推古八年（西暦六〇〇年））から、推古二十六年（六一八年）まで行われた遣隋使があります。遣隋使は、推古二十六年に隋が滅んだことによりなくなり、次いで新王朝である唐への遣唐使が始まりました。遣唐使は、寛平六年（八九四年）まで、二百六十四年続きました。

これを廃止したのが菅原道真で、理由はいくつかありますが、一般には唐が末期となって国が荒れ、交易をする意味がなくなったことといわれています。実際、唐は九〇七年に滅亡して五代十国になっています。

遣唐使を取りやめた日本は、以後、日本人が国の許可なく異国に渡ることを禁じた「渡海制」を敷いています。唐や宋などの商船に対しても、前回の来日から次回の来日まで、最低十年、間を空けることとする「年紀制」を定めています。要するに日本は「鎖国」したのです。

再開したのが平清盛の父の平忠盛です。彼は民間貿易としての日宋貿易を本格化させています。平忠盛の時代は十二世紀初頭ですから、日本はそれまでおよそ百年「鎖国」していたことになります。

平家は一般に水軍を中心とする武力によって朝廷に大きな権力を築いたとされていますが、実際に忠盛が朝廷内で出世し、清盛の時代に源氏を倒して「平家にあらずんば人にあらず」という時代を築いた背景には、この日宋貿易によって得た巨額の富がものをいったのです。

その日宋貿易も一一八五年の平家滅亡により、事実上停止となります。鎌倉幕府は、南宋末期まで入宋交易を行ったものの、それらはあくまで幕府管理下で細々と行っただけであり、宋が滅び、元が起こると交易は途絶えています。

そして次に日本が中国との国交を開いたのは、応永八年（一四〇一年）の室町幕府三代将軍足利義満による「日明貿易」です。つまり日本は二百十六年間、「鎖国」していたのです。

もっとも国交のない「鎖国」中にも、いわゆる密貿易はあったし、また村上水軍や五島列島などの島民を中心とした倭寇は、一三〇〇年代から度々中国や朝鮮に押し掛けています。ただしこれは、国としての公式な交易ではないので、これについては後述します。

日明貿易が開始された背景には、この私的交易団である倭冦が、度々明を荒らしたので、国家として公式かつ安定的な交易を開始しようとしたことがあったといわれていますが、これはいささか説明不足です。これも後述します。

日明貿易は、フランシスコ・ザビエルが来日した天文十八年（一五四九年）まで十九回行われましたが、このとき、割り符を利用して互いの国の正式な派遣船であることを証明したことから、この交易を「勘合貿易」とも呼んでいます。

当時の交易の様子は、たとえば宝徳年間に明に渡った商人の楠葉西忍の記録によれば、明で二百五十文で買った絹糸が、日本に持って来ると五貫文（五千文）の値で売れ、日本で十貫文で仕入れた銅が、明で四十〜五十貫文で売れたそうです。さらに日本の刀剣類や漆器なども、二十倍から三十倍の値で売れました。交易はボロ儲けできる商売だったわけです。

ところがこの日明貿易は、開始からわずか十年で中断しています。なぜかというと、この日明貿易を行うにあたり、足利義満が「朝貢」形式を採ったからです。これを不服とする人々が、交易の継続を拒否しました。

交易が再開されるのは、天文五年（一五三六年）ですが、これ以降の交易は、国家としてのものというよりも、周防国（山口県南東部）の大内義隆による個人貿易の色彩が強いものでした。

その大内氏も、弘治三年（一五五七年）に毛利元就に討たれて滅び、以降、明との交易は公式なものはなくなり、日本の水軍による細々とした民間交易だけが続くことになります。つまり日本はこの時点で百五十六年間の開国の時代が終わり、ここで三たび「鎖国」したわけです。

日本は四回の鎖国を行っていた

ところが一方で、この時期になると、今度はスペイン、ポルトガル、そして東南アジア諸国が、新たな交易国として登場します。信長を筆頭に、各藩はこぞってこれらとの交易を盛んに行い、ヨーロッパにまで使節団（天正遣欧少年使節）が派遣されたことは皆様ご存知の通りです。さらに家康の代の慶長六年（一六〇一年）以降になると、ベトナム、マニラ（フィリピン）、カンボジア、シャム、パタニ（タイ）などと正式な国交関係を樹立し、盛んに貿易が営まれています。東南アジアの各町には、日本人町が作られ、なかでも有名なのがタイのアユタヤで勇名をとどろかした山田長政です。

興味深いのは、この時期（慶長十一年）には、家康がガレオン船まで建造していることです。ガレオン船というのは、よく西欧の海賊ものの映画などに出て来る大型帆船で、四～五本の帆柱を備え、舷側に大砲を揃えた外洋航海用の大帆船です。

また、日本はこの直前には朝鮮征伐で明と戦っていたことです。秀吉の死後、慶長三年（一五九八年）に日本は朝鮮から撤兵していますが、その一方でこの時期には、東南アジア諸国やスペイン、ポルトガル、オランダ等と、盛んに交易をしていました。ところが、寛永十六年（一六三九年）になると、日本は南蛮（ポルトガル）船入港禁止令を敷き鎖国をしているのです。

つまり一四〇一年に始まる日明貿易から、東亜、西欧との交易にいたる開国開放政策は二百三十八年間で幕を閉じ、以降、嘉永七年（一八五四年）の日米和親条約締結まで、二百十五年間、日本は四度目の「鎖国」をしていたことになります。

ここまでの流れを整理すると、次のようになります。

６００〜８９４　【開国】２９４年間　遣隋使、遣唐使
８９４〜１１００　《鎖国》２０６年間
１１００〜１１８５　【開国】85年間　平家全盛期
１１８５〜１４０１　《鎖国》２１６年間

１４０１〜１５５７　【開国】　１５６年間　足利幕府
１５５７〜１６３９　《鎖国》　82年間　中国に対して
１６３９〜１８６８　《鎖国》　２２９年間　江戸幕府
１８６８〜　【開国】

これ以前にも開国と鎖国は、度々繰り返されているようなのですが、要するに民間部門での私的交易や、細々と行われたであろう大陸との交流は別として、公式の交易は、時代とともに鎖国と開国が交互に行われてきた歴史が、日本にはあるのです。

ではなぜ、こうした開国と鎖国が時代とともに大きく揺れ動いたのでしょうか。海外との交易が、交易をする者に巨額の富をもたらしたことは、上にご紹介した楠葉西忍の記録がこれを証明しています。

よく見かける七福神の宝船は、大陸から帰還する船が、都度、巨額の富を日本にもたらしたことをモチーフにしたものとされています。

開国開放の時代には、大陸からの宝物がたくさん日本にやってくるというプラスの面があある一方で、おそらくは人的交流も盛んであったであろうといえます。実際、それぞれの時代、随や唐、宋や明などから、多数の人格高潔とされる高僧なども来日し、帰化しています。しかも、交易は、巨万の富をもたらしました。

けれど物事というものは、作用があれば必ずあるのが反作用です。プラスの面があれば、同時に必ずマイナスの面が起こるのです。交易が盛んになるにつれ、多数の帰化人、渡来人の中には、ろくでもない連中も多数来日したであろうことは、今も昔も変わらない。容易に想像がつくことです。実際、遣隋使、遣唐使が盛んだった時代には、世が荒れ、国内治安が乱れ、白村江の戦いも起こり、遷都が繰り返されています。

治安が良く、政治的混乱もなく、世が安定していれば、遷都の必要などないのです。にもかかわらず、住み慣れた都を捨て、改めて都を遷さなければならない。それには、それを「せざるを得ない」何かがあったであろうことは、誰にでもわかることであろうかと思います。

菅原道真が遣唐使を廃止したあとも、国内の混乱は続きました。そしてこの頃から、民間部門で力を持ちはじめたのが、武士団でした。なぜ、民間に武力が必要だったのでしょう。

必要があるから、武士が生まれたのです。必要がないなら、武士は生まれません。武士の始まりを、平安貴族の荘園（農園）の警備員たちに求める説があります。果たしてそうでしょうか。

日本人の感性として、たとえば日本人経営の日本の銀行の本店にいるガードマンが、頭取を殺害してその銀行を乗っ取ろうという発想をするでしょうか。

むしろ、日本人が、あえて民間武装止む無しという行動に走るのは、関東大震災のあとの治安の悪化の中で自然と武装した自警団が生まれたこと、あるいは、終戦直後の混乱の中で、在日朝鮮人たちの横暴に対してヤクザが武装して立ち上がり、警察署などを守ったことなどがあげられます。

もともと日本人は、縄文時代の一万四千年にわたって、「人が人を殺す」という文化を持たない民族であったのです。殺し合うより、みんなで力を合わせることを大切にした民族です。

一万四千年というのは、途方もなく長い期間です。なにせ関ヶ原の戦いからでさえ、まだ四百年少々しか経っていないのです。ひとつの世代は、おおむね二十五年で交代します。百年で四世代が交替するのです。すると関ヶ原からだと十六世代です。計算上は七百年前の鎌倉時代の一組のカップルから、日本のいまの人口が誕生します。これが二十八世代です。それが一万四千年というと五百六十世代です。その長い期間にわたって、対人用の武器が出土していないのです。

さらに有名な三内丸山遺跡にある六本柱の巨大建造物や、縄文時代の木造の住居跡も沢山見つかっているけれど、そこで使われた木材を、一体縄文人たちがどうやって伐り倒し、どうやって枝を払い、どうやって地面から立てたのかが、またおもしろい。巨木を伐るといえば、いまの時代ならチェーンソーを使いますし、一昔前なら、金太郎が担いでいる鉄製の大マサカリが使われたことでしょう。けれど縄文時代には、チェーンソーを動かす電気はなかったし、マサカリに使う鉄器もないのです。では、何を使って巨木を伐り倒したかといえば黒曜石です。どうやったかというと、木の根元を火であぶって焦がし、そこを先の尖った磨製石器でガリガリ削って、伐り倒していたのです。

少し考えたらわかりますが、そうすると一本の木を伐るだけでも、膨大な時間がかかります。つまり、誰かが木を伐っている間、彼の食は、別な誰かが面倒をみなければなりません。さらに枝を払い、目的地まで運び、さらにその木を加工して、木造建築物を建造するとなると、これはもうひとりでは、絶対に無理です。ならばどうするかと言えば、人々が互いに協力しあう。助け合うしかないのです。

そういうことは、人が人を殺し、奪う文化では、決して実現できないことです。

みんなが力を合わせることで、はじめて実現できる。それを、縄文の昔から、日本人はやり続けてきたのです。

もう少し言うと、縄文時代の遺跡からは、足形付き土版というものも出土しています。幼子の足形を粘土にとって、それを焼いて土器にし、あとあとまで残したのです。どうしてそんなことをしたかというと、明治時代くらいまで、（これは日本だけでなく世界中どこでも）、子供というのはよく死んだのです。ですから、何人産んでも、ようやく成人できるのは、そのうちの何人かでした。我が子が死ぬとつらいのは、現代人も縄文人も変わりません。そこで亡くなった子供の足形を、永遠にとどめるために、土器に残したのだといわれています。

そういう和と協調、やさしさと思いやりの文化が、日本人のＤＮＡに深く刻み込まれています。日本人は、人と人とが助け合い、いたわり合い、みんなと共同し、協力して何かをなすことに自然な喜びを抱くのです。

大陸文化の流入は、日本にとって必ずしもいいものではなかった

これに対し、大陸の文化は、大きく異なります。人が人を殺す。殺すだけじゃなくて食べてしまう。食人があたりまえの文化です。

そういう食人文化を持った人たちがいる国と交易をする。もちろん、優れた文物もあることでしょう。

倭寇などの記録をみると、日本からは、主に銅や金（ＧＯＬＤ）を大陸や朝鮮に運び、向こうで買って仕入れたのは、主に書物だったと書いてあります。とりわけ仏教文化に関する文物は、たいへんに貴重なものとして、日本で高く評価されたことでしょう。つまり、お金になったのです。

けれど、そうした交易には、当然のことながら、人的交流も含まれます。そして交流

「人」の中には、ろくでもない犯罪者や乱暴者も多数含まれていたことでしょう。武器を持たない日本人の一般庶民は、そうしたろくでもない人種からしたら、恰好の餌です。奪い、犯し、殺しますから、当然、日本国内の治安は悪化します。

つまり、一部の人が交易によって富む一方で、国内の庶民生活は、不逞外国人による泥棒や、強姦、殺人等の事件が、頻繁に起こり、平穏な生活がおびやかされるようになるのです。

さらに一部の不逞外国人たちは、交易によって得られる富を背景に、日本の政治にも深く関わるようになってきます。

そして日本文化にはまったく見受けられない、非常識、すなわち自己の利益のために庶民の生活を平気で踏みにじるという政治を行いはじめます。

これは日本人には本能的にできないことです。たとえば、パチンコ屋が儲かるからと、戦後多くの日本人がパチンコ店の開業に踏み切りました。けれど、そのほぼすべてが、倒産の憂き目にあっています。あれだけ儲かる商売（一時期の全国の真の長者番付の上位はことごとくパチンコ店主でした。税務署に頼んで、納税の日を納付期限日の翌日にしてもらうことで、番付に出ないようにしているだけです）であるはずなのに、日本人だと、なぜパチンコ店の経営ができないのか。損して、丸裸になるような人を、放置できないからなのだそうです。ついつい人情が出てしまうのです。

日本人は、基本、自己責任で、あまり徒党を組むことをしません。けれどよその国の人々は、すぐに徒党を組むという特徴があります。これには理由があって、お互いに信用できないから、一緒に行動せざるを得ないのだそうです。

日本人は、そうではなく、信じて任せてしまう。そして、建設的なことならば集団で力を合わせるけれど、マイナスのことに関しては、あまり組みたがらない、というのも日本人の古来変わらぬ特徴です。

要するに、不逞外国人たちは、あちこちで暴力沙汰や強姦致傷、窃盗、強盗などの重大犯を繰り返す。それがどうにも目に付くようになるから、結果として、鎖国に踏み切る。
鎖国といっても、江戸時代もそうですが、政府単位の公式な交流がないというだけで、民間レベルの密貿易に近い交易は、綿々と継続します。ただし、これはあくまでも、民間レベルの小さな窓口だけでの交流ですから、不逞外国人が大挙して日本にやってくるというようなことは起こらないわけです。

鎖国をしている期間、日本文化は、毎回、花を咲かせています。平安文化、鎌倉文化、江戸文化、いずれも、日本らしさが全面に湛(たた)えられた文化が花開いています。
けれど鎖国して何十年か経つと、やっぱり交易が儲かるからと、またぞろ、触手を伸ばそうとする権力者が現れる。結果、何が起こるかと言うと、その権力者が莫大な財力を手中にする。そうして我が世の春を満喫する施政者が出る一方で、庶民の生活は脅かされるどころか破壊され、結果、国が荒れる。

遣唐使を終わらせた頃の日本は、平将門の乱や、藤原純友の乱などが起こっています。

将門も、純友も、大金持ちだったという記録はありません。どちらかといえば質素な生活をし、民からたいへんに慕われていました。では、そういう人が、なぜ反乱を起こすまで追いつめられたのか。そこには、なんらかの、我慢できない事情があったと考えるのが普通です。

日本社会というのは古来、すべては家を単位として意思決定が行われます。つまり、将門が、「俺は我慢ならんから、中央と争う！」と述べたとしても、将門の家人たちが、「いんやぁ、おらたち、農作物の収穫があるだに」と逆らえば、それまでなのです。逆にいえば、将門や純友が立ち上がったというのは、将門や純友以上に、その家の家人たちが、矢も盾もたまらないくらいの怒りに燃えていたということです。

それだけ世が荒れた。荒れた理由が何なのか。それを説明する文書はないけれど、渡来人たちが日本国内に増え、徒党を組んであちこちで狼藉(ろうぜき)を働いているのに、それを放置し、取り締まらない政府があれば、民の非難が集中するのは、無理からぬことです。

室町時代の開国では、もっと顕著な出来事が起こっています。日本が戦国時代に突入してしまったからです。百年続いた戦国時代の始まりは、応仁の乱です。応仁の乱は、足利将軍が怠惰で怠け者だったことが原因とされているけれど、日本の社会は、いわゆるキレ者が将軍でいるよりも、ちょっと抜けたような人が上にいるほうをむしろ喜ぶ気風があります。

加えて、戦国末期に来日したザビエルの書簡をみても、日本人は、「お上から諸民にいたるまで、貧乏であることを不名誉と思わない」と書いています。貧乏はいやだけれど、みんなが貧乏、オレも貧乏なら、わははと笑っていこうじゃないかというのが、日本人の気質です。

ならばなぜ、大名同士の争いが激化したのか。治安が極端に悪くなり、武装して戦わなければ、国を維持できないところまで追いつめられたからと考えれば辻褄が合います。どうして治安が悪くなったのかといえば、足利幕府の開国開放政策で、不逞渡来人が増え、国内のあちこちで、いまでいったらコンクリート詰め殺人事件や、強姦致傷事件が頻発したから、と考えれば、民の怒りの爆発も十分に納得できるのです。

そして、織豊時代に入り、東南アジアやスペイン、ポルトガルとの交易が盛んになる一方で、この時期は、むしろ明国や朝鮮との付き合いは、ほとんど行われなくなっています。

ところが、スペインが明国を制圧し、その大軍をもって日本にやってきたら、日本はとんでもないことになる。

だから、秀吉は朝鮮征伐を決意しました。この結果、日本人は直接明国や朝鮮人と干戈を交え、彼らの残忍性や、人食いや強姦の実態をつぶさに見聞することになる。それでどうしたかといえば、秀吉の死後、即時、日本は朝鮮半島から撤兵し、サッサと鎖国してしまっています。当時の日本は、世界の鉄砲の約半数を保有するという、超軍事大国です。ガレオン船を建造したくらいですし、世界の海をまたにかけて渡航できるくらいの海運力、造船力もありました。つまり、世界の海を制することさえも可能なくらいの海軍力もあったのです。鉄砲保有数世界最大ということは、世界最強の陸軍国でもあるということです。東南アジアや、ヨーロッパにまで人を派遣したということは、海軍力も強大だったわけです。

その強力な軍事力があったからこそ、日本は、あえて、国を閉ざしたのです。

日本は国内の世界最大の富を、強力な軍事力によって植民地政策から守った

では、なぜ、日本は世界最強の軍事力を抱いたまま鎖国したのでしょう。これもちょっと考えたら、答えはすぐに見つかります。開国開放政策というのは、簡単にいえば、城の塀を取り除いて、人々が自由に往来できるようにするという体制です。これに対して鎖国政策というのは、城に高い塀を築いて、人々の出入りを厳しくチェックする体制です。(鎖国しても、狭き門を通じてのごくわずかな人的交流はある)

塀を築いて人々の往来を制限するというのは、おかしな人が入ってこないようにするためです。いまの日本では、玄関に鍵をかけるのはあたりまえですが、ほんの数十年前までは、家に鍵をかけるなんていう習慣は、日本にはありませんでした。それが鍵をかけるようになったのは、泥棒や強盗、強姦魔が家に侵入するようになってきたからです。

要するに海外との交流が盛んになると、富と交換に、大陸や半島から不逞のヤカラが日本に入ってくる。そして日本中を荒らし回る。結果、人々がどうするかといえば、自警団を組んで防犯に努めるとともに、他国からの侵入者に対して警戒的になるわけです。

実は、国の形はこうして地域から変わっていきます。国の中枢から変わるのではないのです。多くの人は、国に答えを求めます。けれどそれはスサノオによって高天原が荒らされたときに、八百万の神々が天照大御神に解決を頼んだことと同じなのです。問題があれば、自分たちで解決する。暴力を用いよということではありません。地元警察にも協力を要請することもまた、地域が変われば可能になります。

武士団もこうして形成されましたし、遣唐使の廃止も、こうして地域が拒否に向かうことを、結果として菅原道真が実現しています。だから菅原道真は天神様と庶民から呼ばれるようになったのです。

多くの場合、上に立つ人たちは、交易からもたらされる富を独占または寡占している人たちです。財力があり、その時代の権力を持つ人たちです。その人たちに変われと言っても変わるはずなどないのです。そして変わらないことで、犯罪は増えるし、暴力が世間を覆うことになります。

地域から変わらなければ、実は、国は変わらないのです。

そして、地域には、中央にいるエリート官僚たちよりも、ずっと優秀な人たちが大勢、埋もれています。中央官僚というのは、かつては世襲制であり、世襲は覚悟を持った人を育成する一方で、必ずしも能力のある人が上に立つことにはならないという弊害があります。現代のエリートは優秀な大学を出た人ということになっていますが、すくなくとも明治以降の学制によるエリートは、優秀＝記憶力に優れているというだけです。本来求められる思考力、洞察力、実行力があるからエリートになっているということではない。民間企業をみたらわかります。優秀な大学の卒業生しか採らなくなった大企業は、たいてい潰れています。

いつの時代も、国を変えるほどの優秀な人材は、草莽(そうもう)にあります。義経は家柄は良いものの、育ちは野生でした。足利尊氏も野の出身、信長もうつけ者、秀吉は百姓、家康は人質です。苦労が人を育てるのです。受験勉強も苦労のうちですが、受験勉強で洞察力や実行力は育ちません。

さて、開国と鎖国の相克について述べてきましたが、なかでも江戸時代初期の鎖国には、とても重要な意味があります。なぜならこの時代は、植民地時代にあたるからです。この時代、世界中の有色人種国はどの国も鎖国をしたかったのです。けれどそれができなかったのは、武力が欧米諸国に遠く及ばなかったからです。

一方、西洋諸国が大航海時代から一貫して求めていたのが黄金です。このことは現代においても、世界の金融市場を動かしているマネーの出どころが、欧州王室連合とバチカンにあることでも明らかです。なぜならそこに、十五世紀以降積み上げられた黄金があるからです。

そしてその黄金を、世界でもっとも所持していたのが当時の日本です。現代のビル・ゲイツの資産は、およそ8兆円と言われていますが、徳川家康の資産は800兆円です。ケタが違うのです。そして当時の日本は、世界の鉄砲の、およそ半数を国内で所持していました。さらに当時の武士団の強さといったら、世界に比肩するものがないほどでした。

つまり日本の江戸初期の鎖国は、欧州諸国が喉から手が出るほど欲しがっていた黄金を世界一所持し、その黄金を世界最多の鉄砲と世界最強の武士団によって護り、鎖国を実現したということなのです。

そしてこれは、中央政府の意向によってできたことではありません。当時の日本は、いまでいう県単位がそれぞれ独立国でした。つまり日本は、小さな国々に分裂した状態にありました。そしてそれぞれの国々の意向は、当然のことながら、それぞれが別な国々なのですから、まちまちでした。

欧米諸国は、イギリスにしろオランダ、スペイン、ポルトガルにしろそれぞれが、ひとつの国を形成していました。これに対し日本は、小さな諸国に分裂した状態にありました。けれど結果としてその小さな諸国に分裂していた日本が、鎖国を実現し、富を護ることに成功しているのです。

このことは、ヘロドトスの『ヒストリアイ』のストーリーを真っ向から否定する事実といえます。『ヒストリアイ』では、ギリシャの都市国家が、それぞれに仲違いしていたところに、ペルシャが百万の大軍をもって襲いかかり、都市国家が次々と陥落していった。そこに英雄が現れて、バラバラだった諸国をまとめてペルシャの大軍を押し返した、という物語です。けれど日本の場合、欧米諸国というペルシャの大軍を、都市国家の状態のまで跳ね返しているのです。

この違いがどこから生じているのかといえば、答えは、天皇のご存在です。つまり日本は、ギリシャの都市国家群と違って、それらを統合するご皇室の存在を根幹に持っていたことが、最大の違いです。バラバラな小国に分裂していながら、同時に天下という名において、天皇によってすべての庶民が「おほみたから」とされている。この自覚が、世界の諸国が次々と植民地化され、植民地支配する欧米諸国がもっとも欲しがる黄金を世界最大量所持していながら、堂々と鎖国することができた理由の根幹です。

このことは、わかりやすく例えるなら、日頃仲の悪い親戚同士であっても、本家の爺ちゃん、婆ちゃんの前では、誰もが心配をかけないようにする。その本家の爺ちゃん、婆ちゃんは、孫やひ孫の顔を見ると、ニコニコととても喜んでくれることに似ています。

日月神示に次の言葉があります。

「右の頬をうたれたら左の頬を出せよ、それが無抵抗で平和の元ぢゃと申しているが、その心根をよく洗って見つめよ、それは無抵抗ではないぞ、打たれるやうなものを心の中にもっているから打たれるのぞ。マコトに居れば相手が手をふり上げても打つことは出来ん、よくききわけてくだされよ。笑って来る赤子の無邪気は打たれんであろうが。」（極め之巻第十五帖）

「笑って来る赤子の無邪気は打たれん」のです。

第5章

いまの向こうにある未来

1　イマジナル・セル

第1章の4で、ネイションとステイトのお話をさせていただきました。
現下の日本は、古くからの文化（つまりネイション）としては、世界最高峰の素晴らしいものを持ちながら、政治的組織（つまりステイト）は、最低の機構になっているという、大きな矛盾を国内に内包しているといわれています。
この問題を解決するにはどのようにしたら良いのでしょうか。

答えは明確です。日本のステイトの形を修正する他ありません。ただし、流血革命など、国民の誰一人望んでいません。国民が望んでいるのは、流血革命のような悲惨を伴う改革ではなく、企業などに見られるような「改善」によって、少しでも日本が良い国になっていくところにあるものと思います。

ところがそういうことを国会議員が言い出せば、それは国民への価値観の押し付けになるといって叩かれるのは目に見えています。戦後ずっとそうでした。そして本気で日本を立て直そう、しっかりとした日本を取り戻そうとした政治家は、ことごとく政界を追われたり、政治生命を絶たれたり、なかには命さえも奪われてきました。

ということは、偉大なリーダーの出現をただ待つのではなく、国民の側がむしろ目覚めていかなければ、いつまでたっても日本は変わらないし、ますます他国に富を奪われ続け、国民の所得は物価が上がってもいっこうに増えないという状況になるのです。

日本経済が三十年にわたって何の成長もしていないことは、この本の読者の皆様なら、すでにご存知のことと思います。三十年前には米国の大卒の初任給も、日本の大卒の初任給も同じでした。けれど三十年経ったいまでは、四倍近い格差が開いています。逆にいまの日本で、大卒の初任給に七十万円を支払うことができる企業は、どれだけあるのでしょうか。さらに三十歳から五十歳までの、いわゆる壮年期の年収は、いまでは三十年前と比べて、金額で百万円も下がっています。その一方で物価は確実に三十年前と比べて上昇しています。

所得は上がらないのに、物価は上がる。近年では特に物価の上昇が著しくなっています。けれどそれだけ物価が上がってたいへんな日本は、世界で見ると、物価の安い国トップテンの中で上から四番目です。アフリカの新興国や、内乱の渦中にある国々よりも、日本のほうが物価が安いのです。日本人から見たら上がっているのに、です。

要するに、物価が上がっているのに対して、所得が上がっていないことが問題なのです。政府は物価上昇対策を口にしますが、そもそも所得が上がっていないのですから、対策はいっこうに奏功しません。

このような状況を前に、では国民の様子はどうなのかといえば、ほとんどの国民が「いまの状況はヤバイ」と認識していながら、何もしていないのが現状です。現実にまれに声を上げる人がいても、そういう人は世間から徹底的にバッシングを受けます。このようなことでどうやったら日本は変わることができるのでしょうか。

実は、その方法が、ひとつだけあるのです。

それがイマジナル・セルです。

チョウチョは、イモムシからサナギとなり、そして蝶となって自由に羽ばたきます。イモムシの時代には、なんと体重の二万七千倍もの葉っぱを食べます。それはまるで現代の唯物的な物質文明のようです。

ところがそんなイモムシの体内に、風変わりな細胞が生まれるのです。それが「イマジナル・セル」です。「イマジナル」というのは「成虫」という意味です。「セル」は細胞です。つまり「イマジナル・セル」は「成虫細胞」と訳すことができます。

イマジナル・セルは、ＤＮＡに刻まれた記憶として、生まれたときからイモムシではなく、自分は蝶になることを知っている細胞です。彼らは単細胞として生まれるのですが、それはイモムシの体の中です。そのためイモムシの免疫システムによって異物として扱われ、次々と殺されていくのです。

それでもイマジナル・セルたちは、めげずに生まれてきます。そして増え出したイマジナル・セルたちは、独自の周波数で他のイマジナル・セルたちと会話し、イモムシの体内でクラスター（隣接した細胞の集まり）を形成していきます。

すると、ある時点で「ティッピング・ポイント」と呼ばれる転換が起こり、いままでイマジナル・セルたちをさんざん攻撃してきたイモムシの免疫システムが、イマジナル・セルの側に寝返ります。こうなると、イモムシは、もはやイモムシとしての体を維持できなくなりますから、それでサナギをつくります。

サナギのなかでは、イマジナル・セルたちが、それぞれの行きたいところへと集まり、目になりたいもの、羽になりたいものたちが集まって、本格的に蝶になる準備を始めます。

このときイモムシ細胞は、溶けて（死んで）ドロドロのスープとなって、イマジナル・セルたちの栄養になります。

こうして一定期間が経過して、サナギのなかですっかり蝶の体が出来上がると、蝶はサナギを破って外に出てきます。そして体が乾くと、大空を自由に舞うようになります。

イモムシ時代の餌は、苦い葉っぱです。けれど蝶になると、餌は花の甘い蜜になるのです。

また、イモムシ時代には左右六つしかなかった眼が、蝶になったとたん、アゲハなら片目だけで一万八千以上ある複眼の世界が広がり、空も野原も見渡すことができるようになるのです。

自然界のこうした変化は、人類が営む社会にも同じことが起こります。ほんの十年前なら、建国以来のネイションン日本を取り戻したいと思う日本のイマジナル・セルたちは、ひたすら戦後生まれの日本国の免疫システムによって攻撃され、場合によっては破壊されてきました。

ところが近年では、急速にイマジナル・セルたちの目覚めが始まり、いまそのイマジナル・セルたちが、新しい日本の希望を求めて、急速に対話を始め、それぞれがコミュニティを形成するようになってきています。これは、戦後日本というステイトから、本来の日本を取り戻す、つまり、イモムシからチョウになるプロセスが始まったということです。

幕末の変革も、信長の天下統一も、鎌倉幕府の成立も、リーダーひとりが上から世の中を変えたものではありません。一般の多くの人たちが新しい時代を築こうと、それぞれの意思で集まり、学び、良い未来を築くためにみんなで努力することによって、はじめて歴史は動きます。そしてそのプロセスは、まさにイマジナル・セルと同じです。

戦後生まれの私たちは、一度も戦場に行くこともなく、徴兵に取られることもなく、同級生を戦災で失うこともなく、空襲に怯えることもない、素晴らしい時代を過ごさせていただきました。そうであれば、いま私たちがすべきことは、子供たちや孫たちのために、これまで以上にもっと良い日本を残すこと。愛と平和の、世界で一番やさしさのある国としての日本を築くことではないかと思います。

日本は一部の特権政治家のためにある国でもなければ、いわゆる敗戦利得者のためにある国でもありません。

日本は、日本人の日本人による日本人のための国です。

そして、そんな日本は、世界の希望です。

※イマジナル・セルのお話は、はせくらみゆき著『夢をかなえる、未来をひらく鍵　イマジナル・セル』に記載された内容を、筆者なりに解釈したものです。

2 ミンコフスキー時空

少し不思議な話をします。わからない方も多いかもしれません。わかる方だけお読みいただければ良いという、そんなお話です。

まず、マルチバース(multiverse)という言葉があります。多元宇宙を指す言葉で、理論物理学において、この宇宙が無数に存在するという仮説です。別な言い方に、パラレルワールド(parallel world)という言い方もあります。我々が住む世界には、無数の並行世界がある、という説です。

並行世界は、たとえば先の大戦において、日本は敗戦国となったけれど、マルチバース(ないしパラレルワールト)の中には、日本が勝利した宇宙もあるという思考です。あるいはもっと古い時代なら、織田信長が天下人となって織田幕府を開いた……などという世界もあったかもしれないし、米国のワシントンが英国との独立戦争に敗れて、米国が誕生しなかった世界があるのかもしれない。

つまり我々が住む世界とは歴史が異なる世界が無限にあって、その中では、自分自身も無限のパターンが存在しているのではないかといいます。

これに対し、神々の世界が「光の世界」だという仮説もあります。光の世界では、時間軸は我々が過ごす時間とはかなり様子が違うのだそうです。どういうことかというと、時間は光速に近づくほど、進み方がゆっくりになります（特殊相対性理論）。そして光速に至ると、時間が静止するといいます。つまり光の世界では、時間が静止しているのです。ということは、神々の世界の時間軸は、我々が住む世界とは、かなり様子が異なるということになります。

天照大御神をはじめとした様々な神々が、いつ生まれたのかわからないほど大昔の神様でありながら、記紀が書かれた時代にも存在され、現在も存在されていて、遠い未来にも存在されておいでになられます。ということは、神々には時間軸が存在しない、あるいは時間軸を超越されているということになります。つまり時間軸の定義が、我々の世界とは異なります。

一般に時間軸は直線的に進んでいると考えられています。ちなみに西洋では、時間軸は過去から未来に向けて一直線に進むとされますが、我が国古来の考え方は、時間軸は未来からやってきて、現在を通り、過去へと向かいます。

ですから未来は「未だ来たらず」と書き、過去は「過ぎ去る」と書きます。ということは、時間軸というのは、直線上にあるけれど、その向きはわからないということになります。直線上を未来からも過去からも、どちらからもある、と考えられるわけです。

直線は一次元です。一次元があるなら、二次元もあります。二次元はx軸とy軸からなる平面です。その平面を仮に「時間の平野」と名付けます。平面であれば、我々には直線としてしか知覚できない時間軸も、実際には時間の平野の中を行きつ戻りつ蛇行しているとも考えられます。その平野の中では、時間（つまり線）は、自由に平面上を移動することができます。これはちょうど、Ａ４の用紙の上に、人が自在に線を引くことができるのと同じです。

ある女性は、車を運転中に、トラックと衝突し、車のボンネットが潰れ、フロントガラスが割れてエアバッグが広がり、自分が死ぬ瞬間を経験したのだそうです。ところがその直後、「戻りなさい！」という声が聞こえたかと思ったら、前からトラックが来るのが見えたのだそうです。それで車を左に寄せて衝突を免れて、いまでもちゃんと生きておいでになります。けれどその事故で死ぬときの記憶を、なぜか鮮明にとどめておいでになります。

またある男性は、峠道でバイクを飛ばしている最中に、カーブを曲がりきれずにガードレールに衝突し、そのまま谷底に転落して記憶を失いました。ところが、気がつくと、その事故現場でバイクを停めて、立っている自分がいたといいます。

自分でも、ある日のこと、友人とＪＲ武蔵野線の外回りに乗って帰宅しようとしたところ、気がついたらなぜか内回りに乗っていて、まったく別な方向に向かっていたことがありました。間違いなく外回りに乗ったことは、同乗した友人も同じ意見でした。（決して老人ボケではありません！　キッパリ!!）

要するに、たとえば日本には一億二千万人、世界にはいま八十一億人の人がいますけれど、実はそのひとりひとりは、時間の平野上で、それぞれの時間を行ったり来たりしているのかもしれません。

我々は縦横高さの三次元の世界に住んでいて、「いま」しか見えません。五分前のことは、記憶の中だけにあることですし、五分後にどうなっているかもわかりません。つまり我々が住んでいる世界は、あくまで三次元であって、その三次元世界が時間軸をx軸方向に進んでいるわけです。このため誰が見ても、時間はひとつの方向に直線的にしか流れていないように知覚されません。けれど、実はそれぞれの人の時間は、時間の平野上で何億本もの時間軸が、それぞれ行きつ戻りつしているのかもしれないわけです。

このことを直線だけで語ろうとすれば、パラレルワールドや、マルチバースのような仮説を持ち込まなければ説明できなくなります。けれど時間を平面で捉えると、この問題は解決します。

近年、マンデラエフェクト（Mandela Effect）という言葉がだいぶ語られるようになりました。マンデラ効果とも言います。これは、不特定多数の人の中で事実と異なる記憶を共有している現象のことを指していう言葉です。

たとえば昔、音楽室にあったベートーヴェンの肖像画は、我々の記憶では、むつかしい顔をして、手に羽根ペンを持っていました。楽譜を書くときは、昔は先端を斜めにカットした羽根ペンを使用したから、音符は、縦の線が細く、横の線が太く描かれるのです。ところが最近では、どこをどう探しても、ベートーヴェンのそのような肖像画は出てきません。なぜかベートーヴェンはイケメンになっているし、手に持っているのは鉛筆です。

他にもお調べいただいたらわかりますが、スフィンクスの両手は、昔は短かったはずなのに、いまでは両腕が物凄く長いものになっています。あるいは世界地図では、昔はオーストラリア大陸の南側は、ほぼ南極に接するほどであったはずなのに、いまの世界地図を見ると、オーストラリア大陸は小さくなり、赤道側に凄く移動しています。

宮崎アニメの怪もあります。『千と千尋の神隠し』のラストシーンを覚えておいででしょうか。親子三人で千尋がトンネルを抜けると、父さんの乗用車が枯れ葉まみれになっている。「え〜、どうしたんだろう」と騒ぐ父母の手前で、千尋がトンネルを振り返る。そんなラストシーンだったという記憶をお持ちの方も多いかと思います。ところが何人かにひとりの割合で、違うラストシーンを覚えておいでの方がいるのです。その方々は、このあと千尋たちの家族は引越し先の家に行き、そこには引っ越し屋さんのトラックが先に着いていて、お母さんが「すみませ〜ん」と声をかけ、千尋が振り返ると、そこにコハク川が流れていた……というものなのだそうです。まったく異なる二つのラスト。けれど、どちらのラストシーンをご覧になった方々も、自分が観て記憶しているものに間違いないとおっしゃいます。

このことは、不思議なことに過去に「異なる時間軸」にいた人々が、いまこの瞬間においては、「同じ時間軸」に共存していることを表します。これを「ミンコフスキー時空」とか「ミンコフスキー空間」と呼びます。時間の平野に、さらに縦軸を加えたものです。

ミンコフスキー時空

次ページの図の平面のところが、先ほど述べた時間の平野にあたります。つまり、異なるタイムラインにいた人たちが、いまこの瞬間の点（ポイント）を共有しているわけです。このポイントが、いわゆる「中今（なかいま）」です。その中今の選択によって、どのような未来がやってくるかが決まります。

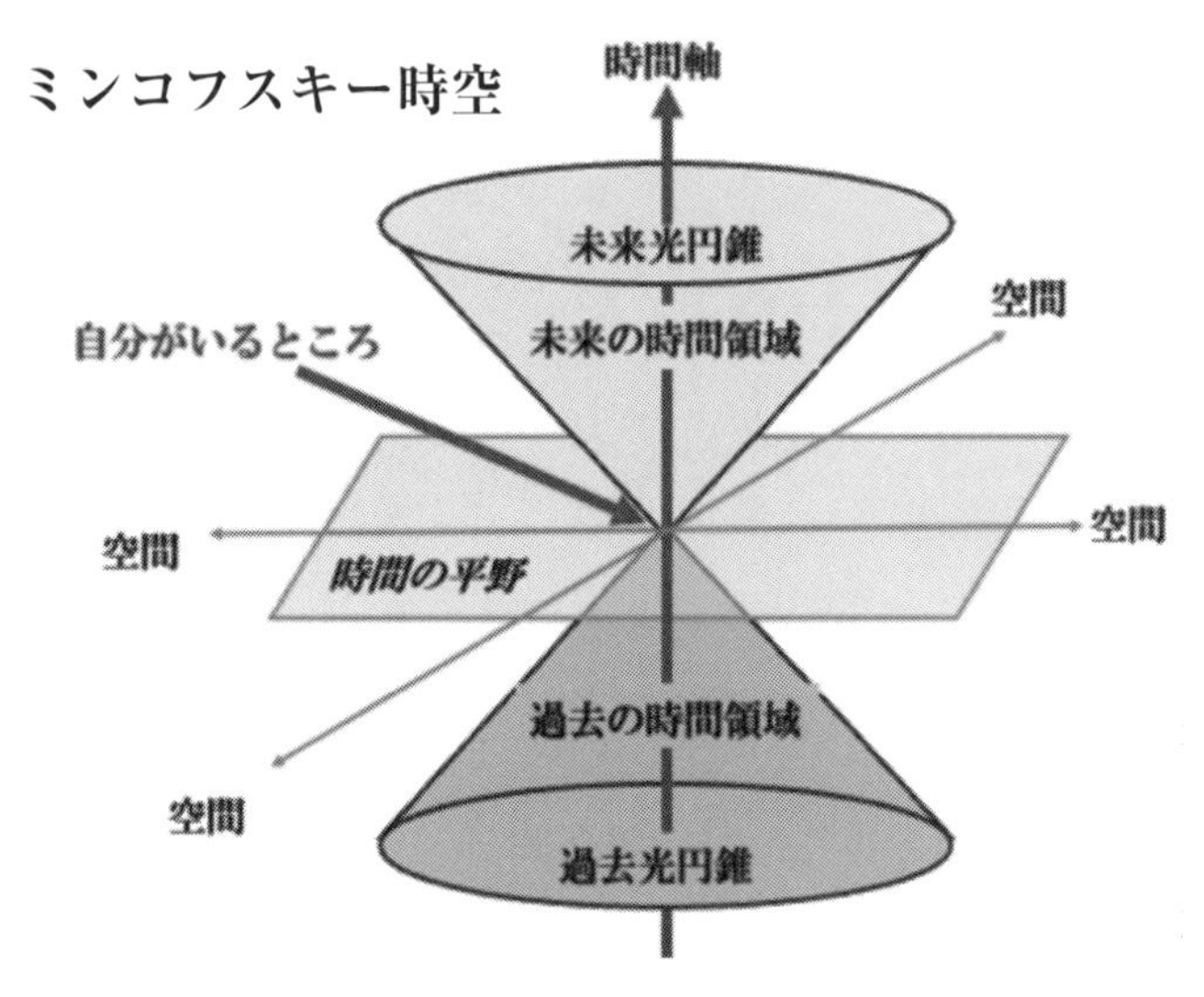

時間軸が変化すると
未来だけでなく、過去も変わる

ミンコフスキー時空の図で明らかなように、過去も未来も極めて多様です。過去は、それぞれの人にとって確定していますが、必ずしもひとつではありません。図の下にある円錐が示すように、その中には無限の過去が存在するわけです。

またこれからやってくる未来もまた、確定しているわけではありません。中今の選択によって、人によってまったく異なる未来になると考えられるわけです。

二〇二五年に世界が失くなると言う人たちがいます。それはその人たちにとっては、本当にそうなる未来がやってくるのかもしれません。巷間言われるように、その年の七月に巨大隕石が地球に衝突し、その威力によって百メートル級の巨大津波が発生して、地球上の主要都市は、ほぼすべて破壊されるのかもしれない。おそらくそのような現実の未来もあるのでしょう。けれど、そうならない未来もあるのです。

様々な問題から、地球がリセットされることは、間違いないと思われます。金融リセット、通貨リセット、文明リセット、政治リセット、人口リセット、食料リセット等々です。けれど、そのリセットのされ方は、人によって違うのです。崩壊を望む者には崩壊が与えられ、発展を望む者には発展が与えられるのです。筆者の持つ未来のタイムラインは、世界の人々がシラスという日本古来の知恵に気付き、世界が新しい方向に向かって進んでいく未来です。これは間違いなくそうなります。

どのようなリセットが行われるにせよ、そこに新しい方向性が与えられなければ、人類は再び収奪戦、支配戦に進むほかなくなります。困難な状況に置かれたときに、自分さえ良ければという行動ができる者しか生き残ることができないからです。むしろその困難な状況にあるときにこそ、それを乗り越える知恵を使い、ひとりひとりが尊重される社会の構築を行うことができるのもまた、人類の叡智です。

その意味で、私たちはいま、人類存続のための叡智を発揮するときなのではないかと思います。それをするとき、私たち人類には、最高の「みろくの世」がもたらされるのではないでしょうか。

3　日本をかっこよくする

歴史は繰り返すと言いますが、日本神話を学ぶと、現代が見えてきたりします。

スサノオと大国主といえば、神話の中でたいへんに有名な存在です。スサノオは、幼い頃に泣いてばかりいたけれど、後にヤマタノオロチを退治して、地域の活性化を図り、奥出雲の国一帯の主となられました。このことは、現代風にたとえれば、スサノオは地域国家を成立させた、つまりナショナリズムの先駆けと言うことができます。

そうして形成された出雲の国に、スサノオの七世後に登場するのが大国主です。大国主は、経済を活性化させ、数々の国によって形成されていた葦原の中つ国を最初に統一して、大いなる国を誕生させせました。これは、世界にある様々なローカルな諸国を統一した……。つまり現代において経済で世界を統一しようとしているグローバリズムの先駆けといえるかもしれません。（大国主神様ごめんなさい）

グローバリズムは、世界がひとつになるという理想を実現しようとするものです。目的は、国際的大企業が政治を動かして自分たちの利益を得ることです。結果としてグローバリズムは、ごく一握りの超絶大金持ちと、圧倒的多数の貧民を形成します。特に、末端に行くほど、人々は貧しくなり、ゾンビの集落のような状態になります。

我が国の神話は、そうなる前に、天照大御神が大国主に国譲りを迫ります。国譲りに際しての御神勅は、

- **天壌無窮の神勅**
- **齋庭（ゆにわ）の稲穂の神勅**
- **宝鏡奉斎の神勅**

です。日本書紀には、それぞれ以下のように書かれています。

『天壌無窮の神勅』

とよあしはらの　　　　　　豊葦原
ちいほのあきの　みずほのくには　千五百秋瑞穂国
あがうみのこの　あるじのちなり　是吾子孫可王之地也
いましすめみま　いでゆきしらせ　宜爾皇孫就而治焉
さきくませ　　　　　　　　行矣

さちとたからと　さかへむことは　宝祚之隆
それあめつちきはまりなかるべし　當與天壌無窮者矣

『齋庭の稲穂の神勅』

あがもてる　以吾
たかまのはらの　ゆにはのほ　高天原所御齋庭之穂
またあがみこに　まかすべし　亦当御於吾兒

『宝鏡奉斎の神勅』

あがみこよ　吾兒
たからのかがみ　みまさむは　視此宝鏡
あれみるごとく　すべしもの　当猶視吾
ゆかをおなじく　とのをともにし　可與同床共殿
もちていはひの　かがみとすべし　以為齋鏡

この三つの御神勅の意味するものは、すべて民衆をこそ「おほみたから」とすることにあります。それは、民衆が、豊かに安全に安心して暮らせる国を築くことです。

世界はいま、ナショナリズムとグローバリズムの戦いであるとよく言われるのですが、筆者は、日本が目指すべき道は、ナショナリズムにも、グローバリズムにもない、第三の道、すなわち「民衆こそおほみたからとする社会の構築」にあると思います。それはこれまでの世界には、まったくなかった思想であり、日本神話の持つ思想そのものです。

神話を学ぶということは、ただ、昔語りを楽しむというだけのものではありません。神話は民族のアイデンティティそのものであり、繰り返される歴史の姿を浮き彫りにするものです。まして日本神話は、万年の単位で蓄積された日本民族の知的財産です。現代が抱える諸問題を解決するには、まず、我々人類社会の本質が何であるかという原点を明らかにする必要があります。その原点が神話なのです。

原点、つまり出発点を明確にすることにより、我々は、これからの時代を築く判断の物差しを得ることができます。

そもそも物差しがない状態、インチで測るのか、メートル法で測るのか、尺貫法で測るのかさえ明確になっていない状況で、こっちは二だ三だ、あっちは四だ五だと、数字を議論しても始まらないのです。物差しがない。サッカーコートでバレーボールを行うようなものです。我々日本人は、我々日本人が示す土俵を、まず取り戻す。その土俵にあたるものが、日本神話です。

大人の学問は、実生活に役立つ、あるいは天下国家を考える上において、その根幹となる知恵を授かるためのものでなければなりません。子供が童話を楽しむのとは、訳が違うのです。

日本の神々の思いは、その時代を生きる人々が、平穏に豊かに安心して安全に暮らしていくことにあられると思います。戦後の日本は、経済がとても発展し、また世界の先進諸国の中で、唯一戦争のない、若者たちを戦地で死なせることのない、平和な国、そして豊かな国でいることができました。

保守系の方々は、戦前の日本人の高い民度や精神性の素晴らしさを語られることが多いですし、それはその通りと思います。けれど戦後日本に神々が求められたものは、平和と繁栄であったのではないかと思うのです。そして日本は戦後、未曾有とさえいわれるほどの繁栄を、平和の中に築くことができました。これはこれで素晴らしいことであると思います。

ただ、平成以降の不況や、昨今の無国籍型日本人、感謝を知らない日本人、日本人の民度の低下などを見ると、経済的繁栄の次に来るべき、尊敬や感謝の心といった、大切な日本人としての精神性を、今は神々が求められているように思えるのです。

時代によって、求められるものは異なります。それは、仕方がないことだし、何が正しいかは神のみぞ知ることです。大切なことは、いつの時代にあっても、末端にいる我々庶民が（多少の貧富の差はあっても）誰もが豊かに安全に安心して暮らせる社会であり、誰もが、それなりに努力をすれば、まっとうな生活、正直な暮らしができることにあります。それは、自分自身が人生を通じて、周囲を笑顔にしていく戦いでもあります。

戦前の日本は、一等国への仲間入りが最大の目標でした。

戦後初期は、焦土の復興が第一でした。

高度成長期の頃は、経済的繁栄が第一でした。

そしてバブル崩壊後、いま一番求められていることは、日本人の民度の向上です。

これを実現するために神々は、戦後の体制さえも、いま否定されようとしています。日本は生まれ変わるときにきたのです。

このことを、ひとことで言うなら、

「日本をかっこよくする」

ということです。

これからは、かっこいい日本人になっていくのです。


ではかっこいい日本人とは、どのような日本人でしょうか。外見の、たとえば顔立ちが整っていて、身だしなみが清潔で、服装が似合っていて、姿勢が良くて、自信に満ちあふれていることでしょうか。違うと思います。ほんとうの日本人的かっこよさは、

誠実であること
責任感があること
周りの人に思いやりの心を持つこと
困難に立ち向かう勇気があること

自分の信念を持っていること
知的でユーモアがあること
自分のやるべきことに情熱を持っていること
周囲の人を楽しませることができること
常に努力していること

などにあるのではないかと思うのです。


そしてもうひとつ大切なことは、人の悪口を言わないこと。

悪とは何か、という問いに対して、ニーチェが語った有名な言葉があります。

「悪とは、人の名誉を奪うことである」

この名誉のなかには、命も含まれます。世の中で、何が正しいことかは神のみぞ知るですが、悪は決定されているのです。それが「人の名誉を奪うこと」です。

ですから悪口も、お茶飲み仲間でワイワイ言っている分には、罪はないのです。それがその人の名誉を奪うようなものになるとき、それが「悪」になります。

では誰かが自分の名誉を奪いに来たとき、自分も一緒になって相手の名誉を奪ったらどうなるでしょうか。相手が悪なのは確定です。人の名誉を奪おうとしているからです。けれど自分も仕返しに相手の名誉を奪ったら、それは自分もまた悪の道にはまったことになります。その瞬間、その人は神々から見放されることになります。

何が正しいことかは神のみぞ知るが、何を意味しているのかというと、そもそも正しいことか間違っていることかなんて、人の身にはわからないことだということです。

よく、死んだあとに三途の川の奪衣婆（だつえば）のところや、閻魔（えんま）大王の前で生涯の罪を裁かれると言いますが、ここで裁かれるのは、正しかったか間違っていたかではありません。生前にどれだけのチャレンジをしたかです。

人が生きるということは、チャレンジをするということです。

そのための場が、私たちが暮らす世界です。

日本では縄文の昔から、この世は、魂が神様になるための訓練の場だと考えられてきました。ですから与えられた宿題を、しっかり消化していかないと、同じ苦しみを何度でも味わわされることになります。ひとつひとつが人生の試練であり、その試練を乗り越え乗り越えしていくことが、すなわちチャレンジです。

縄文由来の知恵ということは、万年の単位で熟成された思想であることを意味します。だから、おそらくそれが真実です。

ということは、魂の薫陶の場であるこの世界は、アセンションがあろうがなかろうが、決して失くなることはないのです。

魂の薫陶の場としての現世には、ときどき「神様昇格特別サービス期間」があります。先の大戦が、まさにそれです。現代なら重傷患者としてICUに入れられるほどの大怪我をしながら、敵弾が飛んでくる中を戦い続けなければならなかったのです。それでいて笑顔を絶やさないで生き、そして死んでいく。短期間で神様になるための最大の薫陶を受けることができたのが、大戦中であったということができます。（だから英霊の皆さんは、

いまでは皆さん神様です）

現代日本は、幼い頃からあたりまえと思ってきたことに疑問を持ち、新しい未来を築くという中で薫陶を受ける時代です。つまり私たちは、新しい、そして素晴らしい未来を築くために、どこまで頑張れるかが、今生における最大の使命として、戦後の日本に生まれてきているのです。

このようなことを申し上げると、カルトのように聞こえるかもしれませんが、そうではなく、これこそが縄文以来の日本人の古くからの思考なのです。

私たちは、日本をかっこよくするために生まれてきたのですから。

4　天使と悪魔の相克

以前ブログで鶴見クリニック院長の鶴見隆史先生の『悪魔界発の輩（やから）の特徴』という論

考をご紹介したことがあります。その論考は、月刊『玉響（たまゆら）』二〇一五年六月号三十六ページに掲載されていたものです。

鶴見先生が示した人が具体的にどういう人かは、後で示しますが、要するにこのような悪魔的な人たちとは、一切関わらないことが鉄則です。

関わってもろくなことはないからです。一時的に、自分に利益があるように見えても、最後には必ず後悔することになりますし、類は友を呼ぶで、関わりを持とうものなら、同じく悪魔的な人たちが次々と寄ってきて、自分の人生を結局のところ、あわれでみじめなものにします。

どんな人でも良い面と悪い面があるように、人々の集合体である国にも、良い人たちもいれば悪い人たちもいます。

だからといって、悪魔界発の人たちを相手にすると、不思議なもので人間関係もおかしくなってきて、周囲がやはり欲に目がくらんだ悪党ばかりになってきます。国も同じで、政府がそのような人たちばかりになる。すると、国民の中にどんなにまともな人たちが多くいても、国全体としては痴れ者のような国になっていきます。

かつての民○党内閣の時代がまさにそうでしたし、お隣の空き缶国もその典型ですし、いまの大手メディアもまったく同じです。

悪魔的人間とは、
関わらない、
近づかない、
寄せ付けない。
これが大事です。

＊　＊　＊　＊　＊

【悪魔界発の輩(やから)の特徴】

月刊『玉響』二〇一五年六月号三十六ページ
http://www.nihoniyasaka.com/contpgm2/w_magintro.php

1　自分本位
2　正義を装って周囲を巻き込み、集団を作って悪いことをする。
3　欲望、特に金銭欲が異常なまでに強い
4　嘘をつくことをなんとも思わない
5　自分に不都合になると、必ず理屈に合わない難癖をつける
6　驚くほど心の中が冷たい
7　相手のちょっとした欠点をあげつらって仮借ない攻撃をする
8　しつこい
9　問題を都合よくすり替える
10　他人の不幸が喜び

11　考えが表面的で深みが「全く」ない
12　自分への反省が全くない
13　他人の悪口が大好き
14　電話魔
15　言葉遣いが汚い

16　固定観念の塊
17　ちょっと御しやすいとわかると、調子に乗って傲慢で支配的な態度に出る
18　根本的に品格がない（下品）

かような特徴を持つのが悪魔界発人間である。

いっけん紳士風に、または淑女風に振る舞うが、少し深く付き合うと、言葉の汚さや態度のあまりの悪さに驚くであろう。

それゆえしばらく付き合うと判別がつくが、人が良すぎると長々と付き合ってしまい、たいへんなことになってから気づく人もよくいる。

＊　＊　＊　＊　＊

要するにひとことでいえば、嘘つきで、狡（ずる）くて、卑怯で卑劣です。自分本位で正義を装って周囲を巻き込み、集団を作って悪いことをし、欲望が異常に強く、嘘をつくことをなんとも思わず、相手のちょっとした欠点をあげつらって仮借ない攻撃をし、他人を巻き込み、争いが大きくなると、いつのまにか舞台中央から消えている。

まことにもって迷惑千万な連中ですが、ところが人類史を考えると、実はこのような人たちこそが、世界を征服し席巻してきたと見ることができます。

もともと人類が猿から分化したのが六百万年前、原人誕生が百五十万年前、ネアンデルタールなどの旧人類が誕生したのが二十万年前、新人類（現生人類）が誕生したのが五万年前です。そしていま、いわゆる新人類の世の中になっているということは、旧人類は新人類によって滅ぼされた、ということです。

なぜそのようなことができたのか。このことは、南北アメリカのインディオやインディアンたちに、その例を見ることができます。彼らは滅ぼされ、大陸を奪われましたが、それは単に「白人たちが銃を持っていたから」という理由だけなのでしょうか。そうではないと思います。

もうひとつの重要なファクターがあるのです。そのことを示す有名な言葉があります。それが、

「インディアン、嘘、つかない」です。

我々日本人の感覚からすると、少々異常な感覚があるかと思いますが、実はこの「嘘をつく、つかない」は、人類史を考えるとき、たいへん重要な要素になります。人類がどうして巨大な集団を営むようになったのかというと、ひとつの「嘘」という虚構を作り出す人がいて、その虚構を利用して自己の利益を図る人がいて、その虚構を信じ込む人たちが

いるからです。

たとえばお札というのは、ただの紙切れです。食べることもできないその紙切れに一定の交換価値があるという虚構を誰かが形成します。するとそれを利用して儲けを企んで自己の利益を図ろうとする人が現れ、現代に至ってなお、世界中の人々がその虚構を信じています。

中国五千年の歴史も虚構です。図々しいことに現代中国は、その憲法前文の最初の文句が「中国は世界でも最も古い歴史を持つ国家のひとつである」と書いています。そして多くの国民が、中国には五千年の歴史があったと信じ込んでいます。

けれど、そもそもその五千年というのは、彼らが日本人に対抗するために、当時日本が皇紀二千六百年と言っていたので、とりあえず倍の五千年と言い出したというだけのものです。いまでは多くの日本人が、中国は王朝が交替する都度、人口さえも入れ替わってきた国であることを知っています。

現代も生きる新人類と旧人類

もしかすると国家も虚構です。国家という巨大な集団が形成されることで、国家規模の戦闘力が形成されてきたのです。けれど、人が生きる上では、果たしてそれだけの規模の集団が必要なのかというと、疑問があります。そもそも人間以外の集団に、国家は存在しません。なぜなら存在しなくても生きて種を保存することができるからです。

要するに、五万年前に登場した新人類と呼ばれる人たちは、ずる賢くて、自分本位で正義を装って周囲を巻き込み、集団を作って悪いことをし、欲望が異常に強く、嘘をつくことをなんとも思わない。そして「嘘」という虚構を利用して自己の利益を図り、その嘘に簡単に同調し、騙されてしまうという傾向をもった集団といえるわけです。そのため「奴らは全員敵だ、鬼畜だ」などと誰かがもっともらしい嘘をつくと、コロリと騙されて、みんなで揃って、その「奴ら」を殺しに行きます。

一方、ネアンデルタール種などの旧人類の生態について、近年明らかになってきたところによると、彼らは葬儀の際に花で遺体を囲んで埋葬したりするなど、たいへんに愛情深い生活を営んでいた人たちであり、遺体を大切に扱うということは人の尊厳を認め、愛情をもって接していたということであり、死後の幸せを願う習慣を持つということは、魂の存在を認めている人たちであるということがわかってきています。そして魂の存在を信じる人たちというのは、当然のことながら、嘘をつくことはいけないことだと思う人たちだったということです。

その旧人類は二十万年前に誕生し、新人類誕生の五万年前まで、世界中に広がっていたと考えるべきです。その間、なにせ十五万年もあるのです。その間ずっとアフリカ中央部あたりにじっとしていたとは考えられないことです。

実際、日本列島では、十二万年前の石器が見つかっています。旧人類は世界に広がっていたのです。

ところが新人類は自分たちの欲望のために、平気で嘘をつき、土地や食べ物を奪う人たちです。そういう嘘をついて自己の利益を図ろうとする人は、ごく一部にしかいなかったかもしれませんが、問題は新人類の中に平気で人を騙す人がいただけでなく、ほとんどの人が簡単に嘘に騙され、扇動されるという傾向を持っていたことです。

こうした新人類の誕生を前に、旧人類が生き残り、騙されないために開発した方法が、論理的に正しくなるように、物事を順序よく進めて行き、途中に嘘があることを許さない、ということです。こうしたことは、分布であって全体の傾向ですから、新人類の中にも嘘を嫌う人たちはいるし、旧人類の中にも嘘を言う人はいたことでしょう。けれども数パーセントの傾向の違い（分布の違い）は、結果として文明の衝突を招き、どちらかが消滅するまでその戦いが続いたことは歴史が証明しています。

新人類の行くところ、次々と旧人類たちは住んでいた土地を奪われ殺されていきました。

たとえばヨーロッパは、もともとは旧人類が広く生息していた土地ですが、結果として旧人類はいなくなりました。

歴史は繰り返します。海を隔てることで北米大陸に生き残っていた八百万人の旧人類は、新人類がやってくることによってほぼ絶滅させられました。いまでは生き残っているのは、わずか三十六万人です。

新人類による旧人類の駆逐には、もうひとつの理由があります。それが「ボトルネック効果」です。これはいまから七万五千年前に、インドネシアのスマトラ島のトバ湖にあった火山が破局噴火を起こしたことに始まります。この破局噴火は過去二千五百万年の間で最大規模の噴火です。地球上の大気は火山灰で覆われ、地上は長期にわたって極寒冷期を迎えることになりました。このとき低下した地球全体の気温は、摂氏マイナス三〜五℃です。これは、ベトナムあたりが樺太並みの気候になることを意味します。恐ろしい変化です。

加えて大気中に含まれる火山灰は、大量のガラス繊維を含みました。ガラス繊維は、肺で呼吸する生物の肺に刺さり、肺に機能不全を起こして死に至らしめます。このため地球上の哺乳類の多くがこのとき絶滅し、人類も世界全体で、およそ一万人程度しか生き残ることができなかったといわれています。

人類が、猿などと比べて、せいぜい肌の色が違うくらいで、あとは極めて同質性が高いのはこのためだといわれています。猿の世界では、いまでもゴリラのような大型の猿もいれば、メガネザルのような小型の猿も存在しています。

人類も、かつては身長が三メートル近くある巨人や、十五メートルに達する巨神ネフィリムから、身長が五十センチに満たない小人族など、様々な種があったとされています。（巨人ネフィリムの末裔はいまでも生きているといわれていますが、事実は隠されているともいわれています）

ところが、いま生き残っている人類は、ほぼ同じ身長、体型の人々だけです。その理由がトパ火山の噴火によるボトルネック効果であったというわけです。

人類は大きく二種類に分けられるのだそうです。欲しいものがあったら、それを奪う人たちと、我慢したり、みんなで力を合わせてそれを作ろうとする人たちです。そこから、

前者がいわゆる新人類、
後者がいわゆる旧人類
だったのではないかともいわれています。

これは肌の色などの外見上のものではありません。外見上は、血が混じることで、色々な種が混じり合っています。たとえば、ノルウェーとかハンガリーは、一般に我々は白人国家と認識していますが、実はそれらの国々はモンゴロイド系の種です。

中国人は外見上はアジアンです。けれど彼らは、元いたモンゴロイドに、コーカソイド

の血が混じって生まれた人々です。外見はアジアンですが、中身は白人種に近く、ですから好戦的で自分本位で、嘘をつくことに平気な人たちがいて、こういう人たちに多くの人々が騙されて扇動されて過激行動に走ります。つまり中身は新人類です。

日本人は、旧人類の生き残りです。このことはＤＮＡの研究でも証明されていて、日本人はネアンデルタール系のＤＮＡを世界でもっとも多く保有する民族なのだそうです。そして旧人類であるということは、「インディアン、嘘、つかない」と言って滅ぼされていった北米インディアンと同じ種であるということです。

要するに、旧人類が新人類によって滅ぼされ続けてきたというのが、この五万年間の歴史です。

古代において旧人類が滅ぼされたのがヨーロッパです。

近世に入って滅ぼされたのが、南米と北米です。

北米ではインディアンが滅ぼされ、南米では旧人類が殺されていなくなって完全に新人類に取って代わられたのがアルゼンチン、旧人類がかろうじて生き残ったのがペルーなどです。

そして二十世紀になって起こった最後の旧人類と新人類の大戦争が、先の大戦です。東のはずれの島国に残った旧人類が、ついに武器をとって立ち上がったのです。そして新人類が支配下に置いていた旧人類を解放しました。これが植民地解放です。

このように考えてみますと、実はこの戦いはまだ終わっていないといえます。新人類にしても、彼らの世界の内幕をよく見れば、人口の一パーセントの人たちが、嘘と虚飾によって贅沢な暮らしをし、他の九十九パーセントの人々は、借金まみれの生活を送っているわけです。それは、必ずしも完成された社会とはいえないものです。

一方、旧人類の中にも、新人類の中のそうした一パーセントの金持ちにあこがれて、平気で人を騙すような人たちが紛れ込むようになってきました。つまり悪魔的な人たちが、そうでない人たちの社会に紛れ込むようになってきたわけです。

逆に新人類の中に、良心によって生きる、魂の存在を自覚して生きる、人を騙すことはいけないこととする人たち、仮にこれを天使的な人たちとすると、そういう天使的な人たちが増えてきたこともまた事実です。

仮にいま再び、トパ火山の破局噴火のようなボトルネック（別な言い方をするとハルマゲドン）が起こるとそのボトルネックに乗じて、悪魔的な人たちだけが生き残ってしまう危険があります。いかにして、天使的な人たちが織りなす人類社会を実現するか。それが旧人類の末裔としての日本人の、これからの大きな戦いであり使命かもしれない。そんな気がしています。

つまり、目覚めた日本人は、これからの時代を生き残るし、生き残らなければならないのです。それがおそらく神々の御意思です。

あとがきにかえて　日本が壊れない本当の理由とは

のんびりしていてはいけない、もっと危機感をもたなければダメだ、亡国だ!!と右側の人は言います。左側の人は、右は戦争をしたがっている、九条を守れといいます。では、普通の大多数の日本人は何をしているかといえば、ただ淡々と日常を真面目に頑張って生きています。右にも左にも同調できずに、自分の道を進んでいます。大切なことは、右だとか左だとかではなくて、その対立のもっとずっと手前か、あるいはもっとずっと向こうの方にあるということにあるのです。

明治の頃、宮城県大崎市に、鎌田三之助という衆議院議員がいました。その三之助がメキシコに視察に出かけている最中に品井沼の排水工事をめぐって、工事推進派と中止派がそれぞれ対立して、住民を二分してしまうという、たいへんな騒動が起こりました。三之助が急遽帰国して現地に向かうと、品井沼の排水工事は、三之助が一年前にメキシコに向けて移民したときからまったく進んでいません。三之助がいなくなったあとに、それぞれの村の意見が対立してしまったのです。

品井沼の干拓工事について、そもそも工事自体が不要と言い出す者、干拓そのものが不可能だと言い出す者、決まったことだからやろうと言う者、それぞれ目先の利害で対立してどうにもならないのです。宮城県の亀井知事が仲裁に出張っても、まったく問題が解決しない。

三之助は帰郷するとすぐに村に向かいました。そもそも品井沼は、四方を山に囲まれていて、排水ができないのです。そこに水の出口、つまり排水路を築けば、広大な沼には、千ヘクタールの水田が生まれるだけでなく、周囲八百ヘクタールの土地は水害から守られます。けれどもそのためには岩盤でできた急な斜面に穴をうがって、トンネルを掘り、そこからさらに水路を延ばしていかなければなりません。それはいずれも山中での工事です。たいへんな難工事です。

その工事が完成すれば、そこに住む人々の暮らしは、間違いなく豊かになる。だから三之助は、私財を使い果たしてでも、村を水害から守り、新たな土地を拓こうと、この計画を推進していたのです。

村に向かった三之助は、反対派の人々の家を一軒一軒訪問し、ひとりひとりを粘り強く説得しました。こうして反対派の人々もついには納得し、みんなが一致団結して工事を行うことになりました。

品井沼の干拓のために力を尽くした三之助は、明治四十二年（一九〇九年）、村人たちの強い願いで鹿島台村の村長になりました。元国会議員が、村の村長です。見栄っ張りな人にできることではありません。

三之助にとっては、見栄など、愚の骨頂です。三之助にとって大切なことは、村の人々が、いまよりも少しでも豊かに安心して安全に暮らせるようにしていくことだからです。

なぜ三之助はそこまでしたのでしょう。それには理由があります。

日本人だからです。

それでわからなければ、日本では、民こそが国家最高権威である天皇の「おほみたから」だからです。そして天皇は神々の直系のご子孫であり、中つ国である地上社会を代表して神々とつながるお役目だからです。これを「シラス（知らす、Shirasu)」といいます。

そしてそのシラス天皇によって、民衆こそが「おほみたから」とされている。だからその「おほみたから」のために、自分にできる最大限のことをする。これを「忠義」といいます。

「忠」と書いて、大和言葉では「まめなるこころ」と読み下します。

「義」と書いて、大和言葉では「ことはり」です。義は、羊に我と書きますが、大昔は羊は神々への捧げ物でした。

大切なもののために、我が身を捧げるのが「義」です。その字に、大和言葉の「ことはり」を当てています。「ことはり」というのは、条理・道理のことです。
その「条理・道理」のために、打算や損得抜きの「まめなるこころ」で「我が身を捧げる」のが、日本的「忠義」であり、武士道です。これは、儒教における「忠・義」とは、使っている漢字が同じでも、意味がまったく異なるものです。

彼らの文化にとっての「忠・義」は、上司上長のために命を捧げることです。上長が嘘やデタラメをしていても、それをかばい立てするのが、彼らにとっての忠義です。これは我々日本人の感覚では、受け入れ難いものです。

鎌田三之助に限らず、武士道に生きる者は、そうして民が豊かに安心して安全に生きることができるようにしていくことに、全力を傾け、誠実を貫いたのです。それが日本的な臣の生き様だったのです。

このことは大東亜の戦いで散っていった英霊たちも同じです。彼らは祖国の自由と独立自存のために戦い、かつまた植民地政策による支配と隷属の関係に置かれた東亜の諸民族のために戦いました。世界中、どこかの国や地域を征服したら、その国の民を先兵にして敵と戦わせるのが常識であった時代に、彼らは、むしろ現地の人々を激戦地から避難させ、より厳しい戦場へと出向いて行きました。

そうした中に、戦地で散華された多数の女性看護婦たちもいます。

彼女たちは、傷病兵のためにと、戦況厳しい前線へと出向き、そこで多くの命が失われています。なぜ彼女たちはそこまでしたのか。彼女たちもまた、民衆こそ「おほみたから」とする日本に生まれ育ち、日本人として生きたからです。

自分には火の粉がかからない安全な場所と時代にいて、他人の悪口を言うのは、個人主義の世の中では、なるほどそれは個人の勝手かもしれません。しかしひとつ言えることは、お互いに非難や中傷を浴びせあうだけでは、この世は決して良くはならないということです。

私たちは、大人も子も、右も左も、みんなが「おほみたから」であるのだという自覚と誇りを取り戻さなければならないと思います。なぜならそれこそが、「天の大御心」だからです。

日本は先の大戦で敗れました。しかし日本は、いまも日本です。なぜ、戦いに敗れても日本は壊れなかったのでしょうか。それどころか、日本は、いまでも世界の大国の一角です。東京に至っては、世界の都市別のＧＤＰランキングで、なんと世界一です。ロシアが大国と思っている人もいるようですが、二〇二三年でいえば、ロシアのＧＤＰは日本円に換算して二百八十五兆円です。日本は六百四十五兆円です。ロシアは景気の悪い日本の半分にも満たないのです。

戦後の日本が見事に復活した理由、それもまた日本が「民こそをおほみたから」とするシラス国だからです。国土が焦土となったとき、政治向きには○○闘争と呼ばれた対立や紛争が次々と起こりましたが、多くの民衆は、そんな「政治遊び」などに付き合っているヒマはないと、仕事の席では政治の話は御法度にして、みんなで力を合わせて瓦礫（がれき）を撤去し、町を復興させていったのです。

日本がおかしくなりはじめたのは、そうした皇民教育を受けない戦後世代が、社会の中核を担うようになってからのことです。

ひとつ申し上げたいことがあります。

戦後、ＧＨＱは日本を壊そうとしました。これは事実です。しかし、結局のところ、傷は負わせましたが、壊すことはできませんでした。

なぜでしょう。

その答えは、日本人の誰もが常に生涯を通じて「愛と喜びと幸せと美しさ」を求める民だからです。そのことが日本人のＤＮＡに刻み込まれているのです。そして人が「愛と喜びと幸せと美しさ」を求めて生きることは、どこの国のどの民族にとっても普遍の大事です。だからＧＨＱは、日本の制度を壊せても、日本人の心を壊すことはできなかったのです。

そして、これこそが日本が不滅の理由です。

「そんなことはない。日本には様々な問題がある」と言う方もいるかもしれません。しかし、問題があるということは、問題を自覚できる感覚があるということです。そして自覚ができることならば、それは改善し、乗り越えれば良いだけのことです。それは神々が我々に与えてくれたチャンスです。

チャンスは、いつの時代にも、どんな場合にも「苦難」の形をとって目の前に現れます。それを乗り越えていくことが、生きるということなのだと思います。

だから人類が「愛と喜びと幸せと美しさ」を求める限り、
日本は永遠に不滅です。

小名木善行

希望ある日本の再生

令和６年６月21日　初版発行

著　者　　小名木善行
発行人　　蟹江幹彦
発行所　　株式会社　青林堂
〒150-0002　東京都渋谷区渋谷3-7-6
電話　03-5468-7769
装　幀　　TSTJ.inc
印刷所　　中央精版印刷株式会社

Printed in Japan

ISBN 978-4-7926-0766-1

子供たちに伝えたい「本当の日本」

神谷宗幣

私たちが知るべき歴史や経済、日本の原動力である和の精神を彼らにどう伝えるかをわかりやすく解説！　若者や子供たちに「日本」という誇りと夢を！

定価１４００円（税抜）

日本のチェンジメーカー～龍馬プロジェクトの10年～

神谷宗幣（編）

５人の地方議員から始まった龍馬プロジェクト。日本のチェンジメーカーたちが本書に綴った１０年間変わることない気概と矜持！

定価１２００円（税抜）

新しい政治の哲学　国民のための政党とは

藤井聡
神谷宗幣

元内閣官房参与の藤井聡と参議院議員の神谷宗幣が、日本の国柄をふまえた本来の政治を取り戻す！

定価１５００円（税抜）

まんがで読む古事記　全7巻

久松文雄

神道文化賞受賞作品。巨匠久松文雄の遺作となった古事記全編漫画化作品。原典に忠実にわかりやすく描かれています。

定価各９３３円（税抜）

新装版 学校で学びたい歴史

齋藤武夫

本書で歴史を学んだ子供たちは、歴史大好き、日本大好きになり、日本人に生まれた自分に誇りを持つことができます。

定価1700円（税抜）

大開運

林雄介

この本の通りにすれば開運できる！ 金運、出世運、異性運、健康運、あらゆる開運のノウハウ本。

定価1600円（税抜）

大幸運

林雄介

この本を読み、実践すれば誰でも幸運に包まれる！林雄介の『大開運』につづく第2弾。生霊を取り祓い、強い守護霊をつければ誰でも幸運になれる、その実践方法を実際に伝授。

定価1700円（税抜）

日本版 民間防衛

江崎道朗
濱口和久
坂東忠信
富田安紀子（イラスト）

テロ・スパイ工作、戦争、移民問題から予期せぬ地震、異常気象、そして災害！ その時、何が起きるのか？ 我々はどうやって身を守る？ 各分野のエキスパートが明快に解説。

定価1800円（税抜）

参政党ドリル

神谷宗幣

政治に関心を持つ若者を増やすため、日本中を走り回っている神谷宗幣！
日本中で志のある強者がいよいよ立ち上がり動き始めた！

定価1800円（税抜）

あなたもなれるライト・スピリチュアリスト入門

林雄介

読むだけで、幸運になれる奇跡の本。
世界一簡単な開運スピリチュアル入門書！

定価1600円（税抜）

日本発シン技術

原日本

ニコラ・テスラをはじめとした、失われた古代文明の超技術を再び日本で復活させる！

定価1700円（税抜）

宇宙人革命

竹本良

古代人の神とは宇宙人だった!!
地球は50数種類の宇宙人であふれている!?
元FBI特別捜査官ジョン・デソーザとの特別対談を収録！

定価1600円（税抜）